GEORGE ORWELL

A REVO
DOS B

LUÇÃO
ICHOS

GEORGE
A REVOLUÇÃO DOS BICHOS
ORWELL

UM CONTO DE FADAS

TRADUÇÃO
DANIEL LÜHMANN

ILUSTRAÇÕES
CIBELLE ARCANJO

ALEPH

O sr. Jones, proprietário da Fazenda do Solar, fechara o galinheiro à noite, mas estava bêbado demais para se lembrar de fechar as portinholas. Com o arco de luz da sua lanterna dançando de um lado a outro, ele foi cambaleando pelo pátio, tirou as botas num chute na porta traseira, se serviu um último copo de cerveja do barril que ficava na despensa e seguiu para a cama, onde a sra. Jones já roncava.

Tão logo a luz do quarto se apagou, houve um alvoroço e uma agitação nas outras construções da fazenda. Durante o dia, havia se espalhado o rumor de que o velho Major, um porco premiado da raça Middle White, tivera um sonho estranho na noite anterior e desejava comunicá-lo aos outros animais. Assim, todos concordaram em se reunir no grande celeiro no momento em que o sr. Jones estivesse seguramente fora dali. O velho Major (chamavam-no assim, embora o nome com que ele fora exibido fosse Bonitão de Willingdon) era tão estimado na fazenda que quase todos estavam dispostos a perder uma hora de sono para ouvir o que ele tinha a dizer.

Numa das extremidades do grande celeiro, sobre um tipo de estrado, o Major já se encontrava aninhado em sua cama de palha, debaixo de um lampião dependurado numa viga. Com doze anos de idade, ele já se tornara bastante corpulento, mas mantinha o aspecto majestoso, com uma aparência sábia e benevolente, apesar de suas presas nunca terem sido cortadas. Não demorou até que os outros animais começassem a chegar e a se acomodar cada um à sua maneira. Primeiro chegaram os três cachorros, Campainha, Jessie e Beliscão, seguidos dos porcos, que se instalaram na palha bem em frente ao estrado. As galinhas se empoleiraram no parapeito das janelas, os pombos se alvoroçaram na direção das vigas do telhado, as ovelhas e vacas se deitaram atrás dos porcos e continuaram a ruminar. Os dois cavalos de tração, Samba-Canção e Trevo, chegaram juntos, andando bem devagar e acomodando seus cascos de pelos longos com muito cuidado para não atingir nenhum animal que eventualmente estivesse escondido no meio da palha. Trevo, uma égua robusta e maternal que se aproximava da meia-idade, nunca conseguira recompor a silhueta depois de seu quarto potro. Samba-Canção era um bicho imenso, com quase dezoito palmos de altura e com a força somada de dois cavalos comuns. A listra branca que descia do seu focinho lhe conferia uma aparência um tanto estúpida e, de fato, ele não tinha uma inteligência de primeira classe, mas era respeitado universalmente pela firmeza de caráter e pela tremenda potência de trabalho. Depois dos cavalos, vieram Muriel, a cabra branca, e Benjamin, o jegue. Este era o animal mais velho da fazenda, e o mais ranzinza. Pouco falava e, quando o fazia, em geral era para tecer algum comentário cínico – por exemplo, dizia que Deus tinha lhe dado um rabo para afastar as moscas, mas que ele preferiria não ter nem rabo nem moscas. Solitário em meio aos animais da fazenda, Benjamin nunca ria. Se lhe perguntassem por quê, apenas dizia que não havia motivo para rir. Todavia, sem admitir abertamente, era fiel a Samba-Canção; os dois costumavam passar os domingos juntos no pasto atrás do pomar, pastando lado a lado sem dizer uma só palavra.

Os dois cavalos mal haviam se deitado quando uma ninhada de patinhos que tinham perdido a mãe entrou no celeiro, piando baixinho e indo de um lado a outro em busca de algum lugar onde não fossem pisoteados. Trevo os protegeu com sua grande pata traseira, e os patinhos se aninharam lá dentro, caindo no sono direto. No último instante, Mollie, a abobalhada, uma bela égua branca que puxava a carroça do sr. Jones, entrou toda afetada e graciosa mastigando um torrão de açúcar. Acomodou-se perto da frente e começou a brincar com sua crina branca, esperando chamar a atenção para as fitas vermelhas de suas tranças. Por último chegou a gata que, como de costume, procurou em volta o lugar mais quentinho e acabou se enfiando no meio de Samba-Canção e Trevo, onde permaneceu ronronando contente durante todo o discurso do Major, sem ouvir uma só palavra do que ele dizia.

Todos os animais estavam então presentes, exceto Moisés, o corvo domesticado que dormia num poleiro atrás da porta dos fundos. Quando o Major os viu acomodados e esperando atentamente, limpou a garganta e começou:

– Camaradas, vocês já ouviram falar do sonho estranho que tive na última noite. Mas chegarei a esse assunto mais tarde. Tenho outra coisa a dizer antes. Sei, camaradas, que não estarei na companhia de vocês por muitos meses mais e, antes de morrer, sinto que é minha responsabilidade lhes transmitir a sabedoria que adquiri. Tive uma vida longa, com muito tempo para pensar sozinho em meu estábulo, e acho que posso dizer que entendo a natureza da vida nesta terra tanto quanto qualquer outro animal. É disso que quero falar com vocês.

"Agora, camaradas, qual é a natureza da nossa vida? Vamos encarar os fatos: nossa vida é miserável, laboriosa e curta. Nascemos, dão-nos de comer só o suficiente para manter o fôlego no corpo, e aqueles capazes são forçados a trabalhar até a última gota de força; e assim que nossa utilidade acaba, somos abatidos com uma crueldade hedionda. Nenhum animal na Inglaterra conhece o significado de felicidade ou lazer antes de completar um ano de idade. Nenhum animal na Inglaterra é livre. A vida de um animal é feita de miséria e escravidão: essa é a verdade nua e crua.

"Mas será que isso é simplesmente parte da ordem da natureza? Será que esta nossa terra é tão pobre que não consegue garantir uma vida decente àqueles que vivem nela? Não, camaradas, mil vezes não! O solo da Inglaterra é fértil, o clima é bom, capaz de fornecer alimento em abundância a um número de animais imensamente maior do que aquele que a habita hoje. Só esta nossa fazenda comportaria uma dúzia de cavalos, vinte vacas, centenas de ovelhas – todos vivendo com conforto e dignidade que atualmente nem sequer podemos imaginar. Por que, então, continuamos nesta condição miserável? Porque quase todo produto do nosso trabalho nos é roubado por seres humanos. Aí está, camaradas, a resposta para todos os nossos problemas. Ela se resume a uma única palavra: Homem. O Homem é nosso único real inimigo. Basta tirá-lo de cena que a origem da fome e da sobrecarga de trabalho desaparecerá para sempre.

"O Homem é a única criatura que consome sem produzir. Ele não dá leite, não bota ovos, é fraco demais para puxar o arado, não consegue correr rápido o bastante para pegar coelhos. No entanto, é o senhor de todos os animais. Coloca-os para trabalhar, devolve-lhes o mínimo possível para não morrerem de fome e mantém o resto para si. Nosso trabalho lavra o solo, nosso estrume o fertiliza, e, mesmo assim, nenhum de nós é dono de nada além da própria pele. Vocês, vacas que vejo aqui na minha frente, quantos milhares de litros de leite vocês produziram neste último ano? E o que aconteceu com esse leite que deveria estar alimentando bezerros robustos? Todas as gotas desse leite desceram pela garganta dos nossos inimigos. E vocês, galinhas, quantos ovos botaram no último ano e quantos desses ovos foram chocados para virar pintinhos? O restante foi levado à feira para dar dinheiro ao Jones e aos homens dele. E você, Trevo, onde estão aqueles quatro potrinhos que você pariu, que deviam lhe dar apoio e prazer na velhice? Cada um deles foi vendido com um ano de idade – você jamais voltará a vê-los. Em retribuição aos seus quatro partos e a todo o seu trabalho nos campos, o que você recebeu além de simples rações e de um estábulo?

"Até mesmo a vida miserável que levamos não pode chegar ao fim de modo natural. Não me queixo por mim, pois sou um dos sortudos. Estou com doze anos de idade e tive mais de quatrocentas crias. Essa é a vida natural de um porco. Mas nenhum animal escapa da impiedosa faca no final. Vocês, jovens porcos sentados aqui na minha frente, todos vocês vão gritar pela vida no toco do abatedouro daqui um ano. É contra esse horror que devemos nos unir – vacas, porcos, galinhas, ovelhas, todos. Nem mesmo os cavalos e os cães têm um destino melhor. Você, Samba-Canção, assim que seus imponentes músculos perderem a potência, Jones o venderá para o abatedor, que vai cortar sua garganta e te dar como comida para os cães de caça. Quanto aos cachorros, depois de velhos e desdentados, Jones vai amarrar um tijolo no pescoço deles e afogá-los na lagoa mais próxima.

"Não é óbvio, então, camaradas, que todos os males desta nossa vida vêm da tirania dos seres humanos? Basta que nos livremos do Homem para que o produto do nosso trabalho seja nosso. Poderíamos ficar ricos e livres quase da noite para o dia. O que devemos fazer, então? Ora, trabalhar dia e noite, de corpo e alma, para destituir a raça humana! Esta é minha mensagem para vocês: Rebelião! Não sei quando essa Rebelião acontecerá, se em uma semana ou daqui a cem anos, mas sei com tanta certeza quanto posso ver esta palha debaixo dos meus pés que, mais cedo ou mais tarde, a justiça será feita. Concentrem-se nisso, camaradas, pelo pouco de tempo de vida que lhes resta! E, acima de tudo, transmitam esta minha mensagem àqueles que vierem depois de vocês, para que as gerações futuras levem a luta adiante até a vitória.

"E lembrem-se, camaradas, a decisão de vocês nunca deve fraquejar. Nenhum argumento deve desviá-los do caminho. Não deem ouvidos quando lhes disserem que o

Homem e os animais têm um interesse em comum, que a prosperidade de um é a prosperidade de todos. É tudo mentira. O Homem não serve aos interesses de nenhuma criatura além de si mesmo. E devemos ter entre nós, animais, uma perfeita unidade, uma perfeita camaradagem na luta. Todos os homens são inimigos. Todos os animais são camaradas."

Nesse momento houve um tremendo alvoroço. Enquanto o Major falava, quatro ratos grandes se arrastaram para fora de suas tocas e se sentaram sobre as patinhas traseiras para ouvi-lo. De repente, os cachorros os avistaram, e foi graças a uma corrida rápida de volta para as tocas que os ratos escaparam com vida. O Major ergueu seu pé de porco para pedir silêncio.

– Camaradas – disse ele –, eis um ponto que deve ser acordado. As criaturas selvagens, como os ratos e os coelhos, são nossos amigos ou nossos inimigos? Vamos votar. Proponho esta pergunta para a reunião: Ratos são camaradas?

A votação aconteceu de imediato e, por uma maioria esmagadora, ficou decidido que ratos eram camaradas. Os dissidentes foram apenas quatro: os três cães e a gata, que, depois, descobriu-se ter votado para os dois lados. O Major continuou:

– Tenho pouco mais a acrescentar. Vou somente repetir: lembrem-se sempre do seu dever de hostilidade para com o Homem e todos os seus modos. Qualquer coisa que ande sobre duas pernas é um inimigo. Qualquer criatura que ande sobre quatro pernas ou que tenha asas é um amigo. E lembrem-se também de que, ao lutar contra o Homem, não devemos nos assemelhar a ele. Mesmo quando vocês o tiverem vencido, não adotem seus vícios. Nenhum animal deve viver numa casa, ou dormir numa cama, ou usar roupas, ou beber álcool, ou fumar tabaco, ou tocar em dinheiro, ou se envolver em comércios. Todos os hábitos do Homem são maus. E, acima de tudo, jamais um animal deve tiranizar criaturas da sua laia. Fracos ou fortes, espertos ou simples, somos todos irmãos. Um animal jamais deve matar outro animal. Todos os animais são iguais.

"E agora, camaradas, vou lhes contar o meu sonho de ontem à noite. Não consigo descrevê-lo. Foi um sonho de como será a terra quando o Homem desaparecer. Mas isso me lembrou de algo que eu tinha esquecido há tempos. Muitos anos atrás, quando eu ainda era um porquinho, minha mãe e outras porcas costumavam cantar uma velha canção da qual só conheciam a melodia e as três primeiras palavras. Conheci essa melodia na minha infância, mas ela tinha desaparecido de minha mente há tempos. Contudo, ontem à noite, ela veio a mim em sonho. Além do mais, a letra da música surgiu também – palavras que tenho certeza de que eram cantadas por animais no passado e que desapareceram da memória por muitas gerações. Vou cantar essa canção agora, camaradas. Sou velho e tenho a voz rouca, mas, quando tiver ensinado a vocês a melodia, poderão cantar melhor por conta própria. Ela se chama 'Bichos da Inglaterra'."

O velho Major limpou a garganta e começou a cantar. Como dissera, sua voz era rouca, mas ele cantava bastante bem, e era uma melodia empolgante, algo entre "Oh querida Clementina" e "La cucaracha". Os versos diziam o seguinte:

Bichos da Inglaterra, bichos da Irlanda,
Bichos de toda a terra, bichos de toda feita,
Ouçam as alegres boas-novas que trago
Do futuro dourado que nos espreita.

*Mais cedo ou mais tarde, o dia há de chegar
Em que o Homem tirano nós vamos derrotar.
E nos campos tão férteis da nossa Inglaterra
Apenas os bichos poderão pisar.*

*No focinho a argola, nas costas o arreio:
Tudo isso distante como um devaneio.
Destino ferrugem para a espora e o freio
E o som do chicote nem mesmo um anseio.*

*Mais riquezas do que a mente pode conceber:
Vai ter trigo e aveia, capim e cevada,
Trevos aos montes, feijão e beterraba,
Desse dia em diante, será tudo da nossa alçada.*

*Os campos da Inglaterra brilharão reluzentes
Com águas puras como em suas nascentes.
Mais doces ainda serão suas brisas
Quando a liberdade tomar conta de nossa vida.*

*É por esse dia que devemos lutar,
Por mais que alguns não vivam para ver.
Vacas e cavalos, galinhas e gansos,
Juntos faremos a liberdade vencer.*

*Bichos da Inglaterra, bichos da Irlanda,
Bichos de toda a terra, bichos de toda feita,
Ouçam muito bem e espalhem as boas-novas
Do futuro dourado que nos espreita.*

A cantoria levou os bichos à mais selvagem empolgação. Pouco antes de o Major chegar ao fim, todos já cantavam por conta própria. Até o mais estúpido entre eles tinha gravado a melodia e parte da letra, enquanto os mais espertos, como os porcos e os cães, já as haviam decorado minutos depois. Então, após algumas tentativas preliminares, a fazenda inteira irrompeu cantando "Bichos da Inglaterra" num formidável uníssono. As vacas acompanhavam mugindo, os cachorros cantavam aos ganidos, os cavalos relinchavam a letra e os patos seguiam firmes no *quá-quá*. Eles estavam tão encantados com a música que emendaram cantando cinco vezes seguidas, e continuariam noite adentro se não tivessem sido interrompidos.

Infelizmente, a algazarra acordou o sr. Jones, que pulou da cama certo de que havia uma raposa no pátio. Ele apanhou a arma que sempre ficava apoiada num canto do quarto e disparou um cartucho inteiro na escuridão. As balas de chumbo se incrustaram nas paredes do celeiro e a reunião se desfez rapidamente. Todos fugiram para o próprio canto de dormir. Os pássaros saltaram para os poleiros, os animais se acomodaram na palha e, em poucos instantes, toda a fazenda adormeceu.

Três noites depois, o velho Major morreu em paz durante o sono. Seu corpo foi enterrado aos pés do pomar.

Isso aconteceu no início de março. Nos três meses seguintes houve muita atividade secreta. O discurso do Major ofereceu aos animais mais inteligentes da fazenda uma perspectiva completamente nova da vida. Embora não soubessem quando se daria a Rebelião prevista pelo Major nem tivessem qualquer motivo para pensar que ela ocorreria durante a própria vida, viam com clareza que era deles a responsabilidade de se preparar para isso. Naturalmente, o trabalho de ensinar e organizar os demais recaiu sobre os porcos, que costumavam ser reconhecidos como os animais mais espertos. Entre eles, havia dois machos reprodutores proeminentes chamados Bola-de-Neve e Napoleão, que estavam sendo criados pelo sr. Jones para serem vendidos. Napoleão, um porco bem grande e de aspecto feroz da raça Berkshire, o único do tipo na fazenda, não era muito de falar, mas tinha a reputação de fazer tudo do próprio jeito. Já Bola-de-Neve, um porco mais comunicativo do que Napoleão, de discurso mais ligeiro e mais inventivo, não era considerado detentor da mesma profundidade de caráter. Todos os outros porcos machos da fazenda destinavam-se à engorda. O mais conhecido entre eles era um porquinho gordo chamado Tagarela, com bochechas bem redondas, olhos reluzentes, movimentos ágeis e voz esganiçada. Era um orador brilhante e, quando argumentava sobre algo complicado, o modo como dava pulinhos de um lado ao outro e sacudia o rabo, de alguma maneira, era bastante persuasivo. Os outros diziam que Tagarela era capaz de transformar preto em branco.

Foram esses três que elaboraram os ensinamentos do velho Major em um sistema completo de pensamento, ao qual deram o nome de Animalismo. Várias noites por semana, depois que o sr. Jones ia dormir, eles faziam reuniões secretas no celeiro e expunham os princípios do Animalismo aos demais bichos. No começo, lidaram com bastante estupidez e apatia. Alguns animais falavam do dever de lealdade ao sr. Jones, a quem se referiam como "Mestre", ou faziam comentários elementares como: "O sr. Jones nos alimenta; se ele fosse embora, morreríamos de fome". Outros perguntavam coisas como: "Por que devemos ligar para o que vai acontecer depois que a gente morrer?" ou "Se essa Rebelião vai acontecer de todo jeito, que diferença faz trabalharmos por isso ou não?", e os porcos tinham muita dificuldade em fazê-los perceber que isso ia contra o espírito do Animalismo. As perguntas mais estúpidas vinham sempre de Mollie, a égua branca. A primeira pergunta que fez a Bola-de-Neve foi:

– Vai continuar tendo açúcar depois da Rebelião?

– Não – respondeu Bola-de-Neve com firmeza. – Não temos meios de produzir açúcar nesta fazenda. Além disso, você não precisará de açúcar, pois vai poder comer aveia e feno à vontade.

– E vou poder continuar a usar fitas na minha crina? – perguntou Mollie.

– Camarada – disse Bola-de-Neve –, essas fitas de que você tanto gosta são o emblema da escravidão. Não consegue entender que a liberdade vale mais do que fitinhas?

Mollie concordou, mas não parecia muito convencida.

Os porcos tiveram um trabalho ainda maior para contradizer as mentiras espalhadas por Moisés, o corvo domesticado. Animal de estimação do sr. Jones, Moisés era espião e fofoqueiro, mas também bom de lábia. Alegava saber da existência de um país misterioso chamado Montanha Açucarada, para onde todos os animais iam depois de morrer. Ficava em algum lugar no céu, um pouco além das nuvens, dizia o corvo. Na Montanha Açucarada, era domingo sete dias por semana, os trevos floresciam o ano todo, e torrões de açúcar e bolo de linhaça brotavam nas cercas vivas. Os animais detestavam Moisés porque ele contava mentiras e não trabalhava, mas alguns acreditavam na Montanha Açucarada, e os porcos tinham que se desdobrar para persuadi-los de que tal lugar simplesmente não existia.

Os discípulos mais fiéis eram os dois cavalos de tração, Samba-Canção e Trevo. Ambos tinham muita dificuldade em pensar no que quer que fosse por conta própria, mas, depois de aceitar os porcos como professores, absorviam tudo o que lhes diziam e transmitiam aos outros animais com palavras simples. Nunca faltavam às reuniões secretas no celeiro e puxavam a cantoria de "Bichos da Inglaterra", que sempre encerrava as sessões.

No fim das contas, acabou que a Rebelião foi concretizada muito antes e com mais facilidade do que todos esperavam. Nos últimos anos, o sr. Jones, embora fosse um mestre rígido, tinha se revelado um fazendeiro competente, mas recentemente se encontrava em decadência. Ele tinha ficado muito desiludido depois de perder dinheiro num processo judicial e começou a beber mais do que deveria. Às vezes, passava dias inteiros em sua poltrona Windsor na cozinha, lendo jornais, bebendo e dando a Moisés umas migalhas de pão molhado na cerveja de vez em quando. Seus funcionários eram preguiçosos e desonestos, os campos viviam cheios de ervas daninhas, as construções clamavam por telhados, as cercas vivas eram esquecidas e os animais, subalimentados.

Chegou junho e o feno estava quase pronto para ser cortado. Na noite do solstício de verão, um sábado, o sr. Jones foi para Willingdon e ficou tão bêbado no bar Leão Vermelho que só retornou ao meio-dia de domingo. Os homens tinham ordenhado as vacas de manhã cedo e saíram à caça de coelhos, sem se preocupar em alimentar os animais. Ao voltar, o sr. Jones imediatamente adormeceu no sofá da sala de estar com o *Notícias do Mundo* sobre o rosto; assim, quando veio a noite, os animais ainda não haviam comido. Por fim, eles não conseguiam mais aguentar. Uma das vacas quebrou a porta do depósito a chifradas e todos os animais avançaram sobre os latões de comida. Foi então que o sr. Jones acordou. Num instante, ele e os quatro funcionários estavam no depósito, chicotes à mão, mandando ver em todas as direções. Isso era mais do que os animais famintos podiam suportar. Assim, de comum acordo e sem qualquer planejamento, eles se lançaram sobre seus algozes. Jones e os homens se viram de repente recebendo chifradas e coices de todo lado. A situação estava completamente fora de controle. Eles nunca tinham visto animais agindo daquele jeito antes, e a repentina revolta de criaturas que eles costumavam surrar e maltratar a seu bel-prazer acabou por assustá-los a ponto de quase tirá-los do juízo. Foi só depois de algum tempo que eles desistiram de tentar se defender e deram no pé. Um minuto mais tarde, os cinco corriam desembestados pelo caminho que levava à estrada principal, com os animais perseguindo-os triunfantes.

Ao olhar pela janela do quarto e ver o que estava acontecendo, a sra. Jones jogou alguns pertences numa mala e sumiu da fazenda por outro caminho. Moisés saltou de seu poleiro e bateu em retirada atrás dela, corvejando bem alto. Enquanto isso, os animais perseguiram Jones e seus homens até a estrada e bateram a porteira de madeira atrás deles. E assim, antes mesmo de perceberem o que estava acontecendo, a Rebelião havia ocorrido: Jones fora expulso e a Fazenda do Solar era deles.

Nos primeiros minutos, os animais mal conseguiam acreditar na própria sorte. Seu primeiro ato foi galopar em grupo pelos limites da fazenda, para se certificarem de que não havia nenhum ser humano escondido por ali; daí correram de volta para as construções da fazenda a fim de eliminar os últimos traços do tão odiado reinado de Jones. O galpão onde ficavam os arreios no fim dos estábulos foi arrombado; os freios, as argolas, as coleiras dos cachorros, as cruéis facas com as quais o sr. Jones costumava castrar os porcos e cordeiros, tudo foi jogado no poço. As rédeas, os cabrestos, os antolhos e os degradantes embornais foram atirados na fogueira de lixo que queimava no pátio. Os chicotes tiveram o mesmo fim, e todos os animais saltaram de alegria quando os viram queimando nas chamas. Bola-de-Neve também lançou no fogo as fitas que decoravam a crina e o rabo dos cavalos em dias de feira.

– Fitas – disse ele – devem ser consideradas roupas, que são a marca de um ser humano. Todos os animais devem ficar pelados.

Ao ouvir isso, Samba-Canção apanhou o chapéu de palha usado durante o verão para manter as moscas longe de suas orelhas e lançou-o na fogueira junto com todo o resto.

Em pouco tempo, os animais tinham destruído tudo que os lembrava do sr. Jones. Então, Napoleão os conduziu de volta ao depósito e serviu uma ração dupla de milho para todo mundo, adicionando dois biscoitos para cada cachorro. Em seguida, cantaram "Bichos da Inglaterra" do começo ao fim sete vezes; depois disso, se acomodaram para passar a noite e dormiram como nunca tinham dormido antes.

Ao amanhecer, acordaram como de costume e, de repente, lembrando-se da coisa gloriosa que acontecera, todos correram juntos rumo ao pasto, onde, um pouco mais adiante, havia uma colina com vista para quase toda a fazenda. Os animais se apressaram até o topo e olharam em volta, sob a luz límpida da manhã. Sim, aquilo tudo era deles – tudo o que eles conseguiam ver era deles! Extasiados com esse pensamento, começaram a dar cambalhotas sem parar, lançando-se no ar em grandes saltos de pura empolgação. Eles rolaram no orvalho, abocanharam a grama adocicada de verão, reviraram torrões de terra preta e sentiram seu rico aroma. Daí fizeram um tour de inspeção por toda a fazenda e, admirados, examinaram o terreno arado, o campo de feno, o pomar, o reservatório de água, o bosque. Era como se nunca tivessem visto todas essas coisas antes, e mesmo naquele instante eles mal conseguiam acreditar que era tudo deles.

Em seguida, eles tomaram o caminho de volta para as construções da fazenda e pararam em silêncio em frente à porta da sede. Aquilo também era deles, mas estavam com medo de entrar. Depois de um momento, porém, Bola-de-Neve e Napoleão forçaram a porta e os animais entraram em fila única, andando com extremo cuidado para não desarrumar nada. Nas pontas dos pés, eles foram de um cômodo ao outro, com receio de erguer a voz além de um suspiro e olhando com certo fascínio para aquele luxo inacreditável, as camas com colchões de plumas, os espelhos, o sofá de crina de cavalo, o tapete de Bruxelas, a litogravura da Rainha Vitória sobre a cornija da lareira na sala de estar. Eles estavam descendo as escadas quando perceberam que Mollie havia sumido. Refazendo o caminho, descobriram que ela ficara para trás no melhor dos quartos. A égua pegara um pedaço de fita azul da penteadeira da sra. Jones e a segurava sobre o ombro, admirando-se no espelho de maneira bastante abobalhada. Os demais a repreenderam bruscamente e saíram da casa. Alguns presuntos pendurados na cozinha foram levados para fora a fim de ser enterrados, e o barril de cerveja da despensa foi esmagado com um coice da pata de Samba-Canção – fora isso, não tocaram em mais nada. Ali mesmo, por decisão unânime, circulou a resolução de que a sede da fazenda devia ser preservada como um museu. Todos concordaram que nenhum animal jamais deveria morar ali.

Os animais tomaram café da manhã e, na sequência, Bola-de-Neve e Napoleão convocaram todos uma vez mais.

– Camaradas – começou Bola-de-Neve –, são seis e meia e temos um longo dia pela frente. Hoje começamos a colheita do feno. Mas há outro assunto a tratar antes.

Os porcos revelaram, então, que nos últimos três meses eles tinham aprendido por conta própria a ler e escrever usando um velho livro de ortografia que pertencera aos filhos do sr. Jones e que fora jogado na pilha de lixo. Napoleão mandou buscar potes de tinta preta e branca e liderou o caminho até a porteira de madeira que dava na estrada principal. Em seguida, Bola-de-Neve (pois era ele quem escrevia melhor) pegou um pincel por entre as juntas do pé de porco e, por cima dos dizeres FAZENDA DO SOLAR na tábua mais alta da porteira, pintou FAZENDA DOS BICHOS. Esse seria o nome da fazenda de agora em diante. Depois disso, retornaram às construções da fazenda, onde Bola-de-Neve e Napoleão mandaram buscar uma escada que deveria ser apoiada na parede do fundo do grande celeiro. Eles explicaram que, com seus estudos dos últimos três meses, os porcos tinham conseguido reduzir os princípios do Animalismo a Sete Mandamentos, que seriam escritos na parede naquele momento e comporiam uma lei inalterável de acordo com a qual todos os animais da Fazenda dos Bichos deveriam viver. Com alguma dificuldade (pois não é fácil para um porco se equilibrar numa escada), Bola-de-Neve subiu e se pôs a trabalhar, com Tagarela alguns degraus abaixo segurando o pote de tinta. Os Mandamentos, escritos na parede coberta de preto em letras brancas bem grandes, podiam ser lidos a trinta metros de distância e diziam:

OS SETE MANDAMENTOS

1. O que quer que ande sobre duas pernas é um inimigo.
2. O que quer que ande sobre quatro pernas, ou que tenha asas, é um amigo.
3. Nenhum animal deve usar roupas.
4. Nenhum animal deve dormir em cama.
5. Nenhum animal deve beber álcool.
6. Nenhum animal deve matar outro animal.
7. Todos os animais são iguais.

Tudo foi escrito com muita clareza, e a não ser por um "amigo" que estava escrito "amigu" e um dos "S" feito ao contrário, a grafia estava correta. Bola-de-Neve leu o texto em voz alta para os demais. Todos os animais acenaram em plena concordância e, na mesma hora, os mais espertos começaram a aprender os Mandamentos de cor.

– Agora, camaradas – gritou Bola-de-Neve, jogando o pincel –, vamos para o campo de feno! Vamos fazer disso uma questão de honra, e realizaremos a colheita mais rápido do que o Jones e os homens dele fariam.

Nesse mesmo momento, porém, as três vacas, que pareciam inquietas há algum tempo, mugiram bem alto. Fazia vinte e quatro horas que elas não eram ordenhadas, e seus úberes estavam a ponto de explodir. Depois de uma breve reflexão, os porcos mandaram buscar baldes e ordenharam as vacas de maneira bastante exitosa, os pés de porco mostrando-se bem-adaptados a essa tarefa. Logo tinham ali cinco baldes de leite cremoso e espumoso, para os quais muitos dos animais olharam com considerável interesse.

– O que vai acontecer com todo esse leite? – perguntou alguém.

– Às vezes, o Jones misturava um pouco na nossa ração – informou uma das galinhas.

– Deixem o leite para lá, camaradas! – gritou Napoleão, colocando-se na frente dos baldes. – Isso será resolvido. A colheita é mais importante. O camarada Bola-de-Neve vai liderar o caminho, e logo me juntarei a vocês. Adiante, camaradas! O feno está esperando.

E assim os animais marcharam até o campo de feno para começar a colheita, e, quando eles voltaram ao anoitecer, notaram que o leite havia desaparecido.

Como eles labutaram e suaram para colocar o feno para dentro! Mas os esforços foram recompensados, pois a colheita foi ainda mais bem-sucedida do que o esperado.

Às vezes, o trabalho era duro, afinal, os implementos eram projetados para seres humanos, não para animais, e era uma desvantagem nenhum bicho ser capaz de usar qualquer ferramenta que envolvesse ficar de pé nas patas traseiras. No entanto, tal era a esperteza dos porcos, que conseguiram pensar num jeito de contornar toda e qualquer dificuldade. Quanto aos cavalos, eles conheciam cada centímetro do campo e, com efeito, realizavam o trabalho de aparar a grama e arar a terra muito melhor do que Jones e seus homens jamais tinham feito. Os porcos não trabalhavam de fato, mas dirigiam e supervisionavam os outros. Com seu conhecimento superior, era natural que assumissem a liderança. Samba-Canção e Trevo se arreavam ao cortador de grama ou ao rastelo de tração (naturalmente, não havia mais necessidade de freios e rédeas) e arrastavam-nos com firmeza dando voltas no campo, com um porco logo atrás dando instruções de "arre, camarada, mais para cima!" ou "opa, camarada, mais para baixo!", conforme o caso. E todo animal, mesmo os mais modestos, trabalhava ajudando a descarregar e juntar o feno. Até os patos e as galinhas andavam para lá e para cá debaixo do sol, carregando pequenos tufos de feno nos bicos. No fim, terminaram a colheita dois dias antes do que Jones e seus homens geralmente levariam. Além do mais, era a maior colheita que a fazenda já tinha visto. Não houve absolutamente nenhum desperdício; com olhos afiados, as galinhas e os patos juntaram até o último talo. E nenhum animal roubou um bocado sequer.

Durante todo aquele verão, o trabalho na fazenda aconteceu em modo automático. Os animais estavam felizes como jamais haviam pensado ser possível. Cada bocado de alimento era um prazer intenso e positivo, agora que era verdadeiramente o alimento deles próprios, produzido por e para eles, e não distribuído em quinhões por um mestre de má vontade. Com os imprestáveis e parasitas seres humanos longe dali, sobrava muito mais para todo mundo comer. Havia também muito mais lazer, mesmo que os animais fossem bastante inexperientes nisso. Eles se depararam, ainda, com muitas dificuldades – por exemplo, no final do ano, quando colheram o milho, tiveram que pisá-lo à moda antiga, pois a fazenda não possuía nenhuma máquina para debulhar –, mas a inteligência dos porcos e os músculos tremendos de Samba-Canção sempre davam um jeito. Samba-Canção era admirado por todos; trabalhava duro já na época do Jones, mas agora parecia valer por três cavalos. Havia dias em que todo o trabalho da fazenda parecia recair sobre seus fortes ombros. Da manhã à noite, lá estava ele puxando e empurrando, sempre onde o trabalho era mais pesado. Ele tinha feito um acordo com um dos galos para que o despertasse meia hora mais cedo do que os outros, e dedicava seu trabalho voluntário ao que parecesse mais necessário, antes mesmo de o dia normal de trabalho começar. Sua resposta a todos os problemas, a todos os contratempos, era sempre "Vou trabalhar mais ainda!" – algo que ele adotara como lema pessoal.

Mas todo mundo trabalhava de acordo com a própria capacidade. As galinhas e os patos, por exemplo, conseguiram juntar cinco alqueires de milho da colheita reunindo os grãos perdidos pelo caminho. Ninguém roubava, ninguém reclamava da ração, e os bate-bocas, as bicadas e a ciumeira característicos dos velhos tempos haviam quase desaparecido. Ninguém fazia corpo mole – ou, pelo menos, quase ninguém. Mollie, é verdade, não era muito boa em acordar de manhãzinha e costumava abandonar o trabalho mais cedo sob a desculpa de estar com uma pedra no casco. E o comportamento da gata também era algo peculiar. Logo notou-se que, quando tinha trabalho a fazer, a gata nunca era encontrada. Ela desaparecia por horas a fio e reaparecia na hora das refeições, ou à noite, após o término do trabalho, como se nada tivesse acontecido. Contudo, sempre inventava desculpas excelentes e ronronava de uma maneira tão carinhosa que era impossível não acreditar nas suas boas intenções. Benjamin, o velho jegue, parecia pouco mudado desde a Rebelião. Fazia seu trabalho do mesmo modo lento e obstinado como na época de Jones, sem fugir da labuta, mas também sem se candidatar para qualquer trabalho extra. Quanto a Rebelião e seus resultados, ele não manifestava opinião alguma. Quando lhe perguntavam se não estava mais feliz agora que Jones tinha ido embora, apenas respondia: "Jegues vivem por muito tempo. Nenhum de vocês já viu um jegue morto" – e os outros tinham de se contentar com sua resposta enigmática.

Aos domingos não havia trabalho. O café da manhã ocorria uma hora mais tarde que de costume, e em seguida havia uma cerimônia cumprida todas as semanas, sem falhar. Começava com o içar da bandeira. No galpão de arreios, Bola-de-Neve encontrara uma velha toalha de mesa verde da sra. Jones e nela pintara, em branco, um casco e um chifre. Todo domingo de manhã a bandeira era erguida no mastro que ficava no jardim da sede da fazenda. Segundo Bola-de-Neve, ela era verde para representar os campos verdejantes da Inglaterra, ao passo que o casco e o chifre simbolizavam a futura República dos Animais que surgiria quando a raça humana fosse enfim derrotada. Depois de içar a bandeira, os animais marchavam até o grande celeiro para uma assembleia geral conhecida como a Reunião. Ali o trabalho da semana seguinte era planejado e resoluções eram apresentadas e debatidas. Eram sempre os porcos que apresentavam as resoluções. Embora os outros animais entendessem como votar, nunca conseguiam pensar em suas próprias resoluções. Bola-de-Neve e Napoleão eram, de longe, os mais ativos nos debates. Mas notou-se que os dois nunca estavam de acordo: a qualquer sugestão de um deles, o outro se opunha. Mesmo quando foi decidido – algo a que ninguém mais podia fazer objeção – que a pequena pastagem atrás do pomar seria destinada ao descanso dos animais que não trabalhavam mais, houve um debate tempestuoso acerca da idade correta de aposentadoria de cada classe de animal. A Reunião sempre era encerrada com todos cantando "Bichos da Inglaterra", e a tarde era consagrada à recreação.

Os porcos tinham reservado o galpão de arreios como sede exclusiva para eles. Ali, durante as noites, estudavam carpintaria, ferraria e outras artes necessárias em livros que tinham recuperado na sede da fazenda. Bola-de-Neve também se ocupava organizando os outros animais no que ele chamava de Comitês Animais. Ele era incansável nessa empreitada. Formou o Comitê de Produção de Ovos para as galinhas, a Liga das Caudas Limpas para as vacas, o Comitê de Reeducação de Camaradas Selvagens (essa iniciativa pretendia domar os ratos e coelhos), o Movimento por uma Lã Mais Branca para as ovelhas e muitos outros, além de instituir aulas para ensinar a ler e escrever. No geral, esses projetos eram um fracasso. A tentativa de domesticar as criaturas selvagens, por exemplo, falhou quase imediatamente. Elas continuaram a se comportar basicamente como antes, e, quando tratadas com generosidade, apenas tiravam vantagem disso. A gata se juntou ao Comitê de Reeducação e foi bem ativa nele por alguns dias. Certa vez, foi vista sentada num telhado conversando com alguns pardais que por muito pouco estavam fora de seu alcance. Contava a eles que agora todos os animais eram camaradas e que qualquer pardal podia vir e pousar na sua pata; contudo, os pardais preferiram manter distância.

No entanto, as aulas para aprender a ler e escrever eram um grande sucesso. Quando chegou o outono, quase todos os animais da fazenda tinham sido alfabetizados em algum nível.

Os porcos já sabiam ler e escrever com perfeição. Os cachorros aprenderam a ler consideravelmente bem, mas nada além dos Sete Mandamentos lhes despertava interesse. Muriel, a cabra, conseguia ler um pouco melhor que os cachorros e, às vezes, à noite, lia para os outros os pedaços de jornal que encontrava na pilha de lixo. Benjamin, embora lesse tão bem quanto qualquer um dos porcos, nunca exerceu sua habilidade. Até onde sabia, dizia ele, não havia nada que valesse a pena ler. Trevo aprendeu o alfabeto inteiro, mas não era capaz de formar as palavras. Samba-Canção não conseguiu ir além da letra D; podia traçar A, B, C e D na poeira com seu grande casco, mas depois permanecia parado, encarando as letras com as orelhas baixas, às vezes balançando as madeixas, tentando com todas as forças se lembrar do que vinha em seguida, mas jamais conseguia. Em várias ocasiões, aprendera de fato as letras E, F, G e H, mas, quando se dava conta de que as sabia, sempre descobria que tinha esquecido as anteriores. Por fim, decidiu contentar-se com as primeiras quatro letras e costumava escrevê-las uma ou duas vezes ao dia para refrescar a memória. Mollie se recusava a aprender qualquer outra letra além das seis com as quais soletrava o próprio nome. Ela compunha as letras com toda a clareza utilizando pedaços de galhos, decorava-as com uma ou duas flores e depois andava em volta a admirá-las.

Nenhum dos outros animais da fazenda conseguia ir além da letra A. Também se descobriu que os animais mais estúpidos, como as ovelhas, as galinhas e os patos, eram incapazes de aprender os Sete Mandamentos de cor. Depois de muito refletir, Bola-de-Neve declarou que os Sete Mandamentos podiam, de fato, ser reduzidos a uma única máxima, a saber: "Quatro pernas bom, duas pernas ruim". Isso, dizia ele, continha o princípio essencial do Animalismo. Quem compreendesse completamente isso estaria a salvo das influências humanas. No início, os pássaros se opuseram, pois lhes parecia que também tinham duas pernas, mas Bola-de-Neve provou a eles que não era bem assim.

– A asa de um pássaro, camaradas – disse ele –, é um órgão de propulsão, e não de manipulação. Portanto, deve ser encarada como uma perna. A marca distintiva do homem é a MÃO, o instrumento com o qual ele propaga todos os males.

Mesmo sem entender o palavreado longo de Bola-de-Neve, os pássaros aceitaram sua explicação, e todos os animais mais simples se puseram a trabalhar e aprender a nova máxima de cor. Na parede do fundo do celeiro, em cima dos Sete Mandamentos e em letras ainda maiores, lia-se QUATRO PERNAS BOM, DUAS PERNAS RUIM. Depois de tê-la decorado, as ovelhas desenvolveram grande apreço pela máxima e, com frequência, ao se deitarem no campo, começavam seus balidos: "Quatro pernas bom, duas pernas ruim! Quatro pernas bom, duas pernas ruim!" e assim continuavam por horas a fio, sem nunca se cansar disso.

Napoleão não tinha nenhum interesse nos comitês criados por Bola-de-Neve. Ele dizia que a educação dos mais jovens era mais importante do que qualquer coisa feita por aqueles que já eram adultos. Acontece que, depois da colheita de feno, tanto Jessie quanto Campainha deram à luz nove filhotes bem robustos. Assim que foram desmamados, Napoleão tirou-os de suas mães, dizendo que ele próprio se encarregaria da educação deles. Levou-os para uma sala no andar de cima que só podia ser acessada por uma escada a partir do galpão de arreios, e lá os manteve em isolamento até que o resto da fazenda logo esquecesse que existiam.

O mistério em relação ao sumiço do leite logo foi esclarecido. Era misturado todos os dias na lavagem dos porcos. As primeiras maçãs agora estavam amadurecendo, e a grama do pomar estava coberta de frutas derrubadas pelo vento. Os animais tinham como certo que elas seriam divididas igualmente; um dia, no entanto, circulou a ordem de que todas as frutas caídas deveriam ser coletadas e levadas ao galpão de arreios para uso dos porcos. Alguns dos outros animais resmungaram, mas de nada adiantou. Os porcos estavam de pleno acordo quanto a esse ponto, até mesmo Bola-de-Neve e Napoleão. Tagarela foi enviado para dar as devidas explicações aos outros.

– Camaradas – gritou ele. – Espero que vocês não pensem que nós, porcos, estamos fazendo isso com um espírito de egoísmo e privilégio! Na verdade, muitos de nós nem gostam de leite e maçãs. Eu mesmo não gosto. Nosso único objetivo ao pegar essas coisas é preservar nossa saúde. Leite e maçãs (isso é algo provado pela Ciência, camaradas) contêm substâncias absolutamente necessárias para o bem-estar de um porco. Nós, porcos, fazemos trabalho intelectual. A administração e a organização desta fazenda dependem de nós. Tomamos conta dia e noite do bem-estar de vocês. É para o SEU bem que bebemos esse leite e comemos aquelas maçãs. Vocês sabem o que aconteceria se nós, porcos, falhássemos no nosso dever? O Jones estaria de volta! Sim, o Jones estaria de volta! Com toda certeza, camaradas – gritou Tagarela quase suplicando, saltando de um lado ao outro e sacudindo o rabo –, com toda certeza nenhum de vocês quer ver o Jones de volta, não é?

Agora, se havia algo do qual os animais tinham plena certeza era de que não queriam o Jones de volta. Quando as coisas foram colocadas sob essa perspectiva, eles não tinham mais nada a dizer. A importância de manter os porcos em boa saúde era óbvia demais. Assim, sem maiores debates, ficou acordado que o leite e as maçãs derrubadas pelo vento (bem como a colheita principal de maçãs, quando elas amadurecessem) deviam ser reservados somente aos porcos.

No fim do verão, a novidade do que havia acontecido na Fazenda dos Bichos se espalhara por meio condado. Todos os dias, Bola-de-Neve e Napoleão enviavam revoadas de pombos com a instrução de socializar com os animais das fazendas vizinhas, contar-lhes a história da Rebelião e ensiná-los a melodia de "Bichos da Inglaterra".

O sr. Jones passara a maior parte desse tempo no bar Leão Vermelho, em Willingdon, reclamando para quem quisesse ouvir da monstruosa injustiça que tinha sofrido ao ser enxotado de sua propriedade por um bando de animais que não prestavam para nada. Os outros fazendeiros se solidarizavam em princípio, mas não o ajudaram muito de início. No fundo, cada um deles se perguntava intimamente se poderia, de algum jeito, transformar o infortúnio de Jones em vantagem para si. Por sorte, os donos das duas propriedades adjacentes à Fazenda dos Bichos viviam em pé de guerra. Uma das fazendas, chamada Foxwood, era uma propriedade grande, abandonada e à moda antiga, coberta de mato, com todos os pastos bem gastos e as cercas vivas em pura desgraça. O proprietário, sr. Pilkington, era um fazendeiro de trato fácil que passava a maior parte do tempo pescando ou caçando, de acordo com a estação. A outra fazenda, chamada Pinchfield, era menor e mais bem cuidada. Seu proprietário era um tal de sr. Frederick, um homem rude e sagaz, continuamente envolvido em processos judiciários e conhecido por sempre sair ganhando em suas barganhas. Os dois se desgostavam de tal modo que lhes era difícil chegar a qualquer acordo, até mesmo em defesa de seus próprios interesses.

Porém, ambos estavam completamente assustados com a rebelião na Fazenda dos Bichos e bem aflitos para impedir que seus próprios animais não ficassem sabendo muito a esse respeito. Primeiro, fingiram rir em desprezo pela ideia de animais gerirem uma fazenda por conta própria. Essa história toda acabaria em quinze dias, diziam. Eles espalhavam que os animais da Fazenda do Solar (insistiam em chamá-la de Fazenda do Solar, pois não toleravam o nome "Fazenda dos Bichos") viviam brigando e começavam a morrer rapidamente de fome. Quando o tempo passou e os animais obviamente não tinham morrido de fome, Frederick e Pilkington mudaram o tom e passaram a falar da terrível perversidade que acometia a Fazenda dos Bichos. Espalhou-se que lá os animais praticavam canibalismo, torturavam uns aos outros com ferraduras em brasa e compartilhavam as fêmeas. Era nisso que dava se rebelar contra as leis da Natureza, diziam Frederick e Pilkington.

No entanto, essas histórias nunca foram levadas inteiramente a sério. Rumores de uma fazenda maravilhosa, da qual seres humanos tinham sido expulsos e onde os animais cuidavam dos próprios negócios, continuavam circulando de forma vaga e distorcida, e, ao longo daquele ano, uma onda de rebeldia percorreu a área rural. Touros que sempre foram dóceis de repente se tornaram selvagens, ovelhas destruíam cercas vivas e devoravam pedaços delas, vacas derrubavam baldes aos coices, cavalos caçadores recusavam suas cercas e jogavam os cavaleiros do outro lado delas. Acima de tudo, a melodia e até mesmo a letra de "Bichos da Inglaterra" tornavam-se conhecidas por toda parte. A música tinha se espalhado com uma velocidade surpreendente. Os seres humanos não conseguiam conter a raiva quando ouviam a canção, embora fingissem pensar que era simplesmente ridícula. Diziam não entender como até mesmo os animais se prestavam a cantar uma porcaria tão desprezível daquelas. Qualquer animal que fosse pego cantando aquilo levava uma surra na mesma hora. Ainda assim, a canção era irreprimível. Os melros assoviavam a melodia nas cercas vivas, pombos arrulhavam-na nos ulmeiros, e ela acabou até se infiltrando no ruído das forjas e nas batidas dos sinos da igreja. E os seres humanos tremiam secretamente ao escutá-la, ouvindo nela uma profecia de sua ruína vindoura.

No começo de outubro, quando o milho foi cortado e empilhado e uma parte já havia sido debulhada, uma revoada de pombos voou em turbilhão pelos ares e pousou no pátio da Fazenda dos Bichos na mais desgovernada empolgação. Jones e todos os seus homens, mais meia dúzia de outros vindos da Foxwood e da Pinchfield, entraram pela porteira de madeira e seguiam pela trilha que levava à fazenda. Todos carregavam porretes, exceto Jones, que marchava na dianteira com uma arma nas mãos. Obviamente tentariam retomar a fazenda.

Isso era esperado há tempos, e todas as preparações haviam sido feitas. Bola-de-Neve, que tinha estudado um velho livro das campanhas de Júlio César encontrado na sede da fazenda, ficou encarregado das operações de defesa. Ele dava as ordens rapidamente, e em poucos minutos todos os bichos estavam a postos.

Conforme os humanos se aproximavam das construções da fazenda, Bola-de-Neve disparou o primeiro ataque. Todos os pombos, um total de trinta e cinco, voaram de um lado para o outro sobre a cabeça dos homens e defecaram neles em pleno voo; e, enquanto os homens lidavam com isso, os gansos, que estavam escondidos atrás da cerca viva, saíram em disparada e começaram a bicar-lhes agressivamente as panturrilhas. Todavia, isso foi apenas uma leve manobra de combate, pensada para criar certa desordem, e os homens logo afugentaram os gansos com os porretes. Então, Bola-de-Neve lançou a segunda linha de ataque. Muriel, Benjamin e todas as ovelhas, com Bola-de-Neve na dianteira, dispararam na direção dos homens e começaram a cutucar-lhes e a dar-lhes chifradas de todos os lados, enquanto Benjamin andava em volta e os surrava com seus pequenos cascos. Contudo, novamente os homens, com seus porretes e botas com sola de prego, eram fortes demais para eles; de repente, com um guincho de Bola-de-Neve, que era o sinal para recuar, todos os animais se viraram e fugiram atravessando a passagem e indo em direção ao pátio.

Os homens soltaram um grito de triunfo. Como tinham imaginado, viam seus inimigos em fuga, e dispararam atrás deles em desordem. Isso era exatamente o que Bola-de-Neve esperava. Assim que os homens adentraram o pátio, os três cavalos, as três vacas e o restante dos porcos, que estavam deitados de tocaia no estábulo, surgiram repentinamente atrás deles, interrompendo-os. Foi então que Bola-de-Neve deu o sinal para o ataque. Ele mesmo foi direto atrás de Jones. O homem o viu se aproximando, ergueu a arma e atirou. As balas deixaram vestígios de sangue nas costas de Bola-de--Neve, e uma ovelha caiu morta. Sem parar por um instante sequer, o porco lançou seus cem quilos contra as pernas de Jones, que foi arremessado numa pilha de estrume e a arma saiu voando de suas mãos. No entanto, o espetáculo mais aterrorizante de todos foi Samba-Canção, empinando-se nas pernas traseiras e dando coices com seus belos cascos com ferraduras de aço, feito um garanhão. O primeiríssimo golpe acertou a cabeça de um estribeiro da Foxwood, deixando-o estirado na lama, sem vida. Ao ver isso, vários homens largaram os porretes e tentaram correr. O pânico os dominou e, no momento seguinte, todos os animais corriam juntos atrás deles dando voltas e mais voltas no pátio. Os homens levaram chifradas, chutes, mordidas, pisadas. Nem um animal sequer deixou de se vingar deles à sua própria maneira. Até mesmo a gata saltou de um telhado em cima dos ombros de um vaqueiro e enfiou-lhe as garras no pescoço, ao que ele gritou terrivelmente. Em dado momento, quando a entrada ficou liberada, os homens pareciam bastante contentes de sair bem rápido do pátio e escapulir na direção da estrada principal. E assim, cinco minutos depois da invasão, eles batiam em vergonhosa retirada pelo mesmo caminho de onde vieram, seguidos por um bando de gansos grasnando e bicando-lhes as panturrilhas por todo o caminho.

Todos os homens tinham ido embora, menos um. De volta ao pátio, Samba-Canção tocava com seu casco no estribeiro que estava caído de cara na lama, tentando virá-lo. O rapaz nem se mexia.

– Ele está morto – disse Samba-Canção, lamentando. – Eu não tinha a intenção de fazer isso. Esqueci que estava usando ferraduras. Quem vai acreditar que não fiz isso de propósito?

– Sem sentimentalidade, camarada! – gritou Bola-de-Neve, com sangue ainda pingando de suas feridas. – Guerra é guerra. O único ser humano bom é um ser humano morto.

– Eu não desejo tirar a vida de ninguém, nem mesmo de um humano – repetiu Samba-Canção, e seus olhos se encheram de lágrimas.

– Onde está a Mollie? – perguntou alguém.

De fato, Mollie estava desaparecida. Por um momento, a preocupação foi geral; temia-se que os homens a tivessem machucado de alguma maneira, ou até mesmo que ela tivesse sido levada por eles. No fim das contas, no entanto, ela foi encontrada escondida em seu estábulo com a cabeça enfiada em meio ao feno da manjedoura. Havia fugido assim que a arma disparou. E quando os outros voltaram depois de procurá-la, descobriram que o tal do estribeiro, que na verdade só estava atordoado, já tinha se recuperado e desaparecera.

Os animais agora se reuniam na mais descontrolada empolgação, cada um contando as próprias façanhas na batalha em tom bem alto. Uma celebração improvisada da vitória foi realizada imediatamente. A bandeira foi erguida e cantaram "Bichos da Inglaterra" uma série de vezes; em seguida, fizeram um funeral solene para a ovelha morta, e um arbusto de espinheiro foi plantado em seu túmulo. Ao lado da cova, Bola-de-Neve fez um breve discurso, enfatizando a necessidade de todos os animais estarem prontos para morrer pela Fazenda dos Bichos se fosse preciso.

Por unanimidade, os animais decidiram criar uma condecoração militar, "Herói Animal de Primeira Classe", concedida ali mesmo a Bola-de-Neve e Samba-Canção. Consistia em medalhas de latão (as quais vinham, na verdade, de uns antigos arreios de cavalo de desfile encontrados no galpão), que deveriam ser usadas aos domingos e feriados. Criaram também a de "Herói Animal de Segunda Classe", concedida postumamente à ovelha morta.

Houve muita discussão quanto ao nome que deveriam dar à batalha. No fim, acabou nomeada Batalha do Estábulo, pois foi de onde surgiu a emboscada. A arma do sr. Jones foi encontrada caída na lama, e era sabido que havia um carregamento de cartuchos na sede da fazenda. Ficou decidido que a arma seria colocada ao pé do mastro, como uma peça de artilharia, e que seria disparada duas vezes ao ano – uma em doze de outubro, aniversário da Batalha do Estábulo, e outra no Dia do Solstício de Verão, aniversário da Rebelião.

À medida que o inverno avançava, Mollie se tornava cada vez mais problemática. Todas as manhãs ela se atrasava para o trabalho e se desculpava dizendo que tinha dormido além da conta; também se queixava de dores misteriosas, embora seu apetite continuasse excelente. A qualquer pretexto, fugia do trabalho e ia para o reservatório de água, onde ficava parada admirando abobalhada o próprio reflexo na água. Mas também havia rumores de algo mais sério. Um dia, enquanto Mollie passeava despreocupadamente pelo pátio, sacudindo a longa cauda e mastigando um talo de feno, Trevo chamou-a de canto.

– Mollie – disse ela –, tenho algo muito sério a lhe dizer. Hoje de manhã, vi você olhando pela cerca viva que separa a Fazenda dos Bichos da Foxwood, e lá, do outro lado da cerca, estava um dos homens do sr. Pilkington. E... Eu estava bem longe, mas tenho quase certeza de ter visto ele falando com você, de que você o deixava acariciar seu focinho. O que isso significa, Mollie?

– Ele não fez isso! Eu não estava lá! Não é verdade! – gritou Mollie, começando a se empinar e dar patadas no chão.

– Mollie! Olhe bem para mim. Você me dá a sua palavra de honra de que aquele homem não estava acariciando o seu focinho?

– Isso não é verdade! – repetia Mollie, mas ela não conseguia olhar na cara de Trevo e, no momento seguinte, fugiu galopando pelo campo.

Trevo teve uma ideia. Sem dizer nada aos demais, foi até o estábulo de Mollie e revirou a palha com seu casco. Escondidos debaixo da palha havia uma pilha de torrões de açúcar e vários punhados de fitas de diferentes cores.

Três dias depois, Mollie desapareceu. Por algumas semanas, nada se soube de seu paradeiro, até que os pombos relataram tê-la visto do outro lado de Willingdon. Ela estava entre os jugos de uma charrete vermelha e preta estacionada em frente a uma bodega. Um homem gordo de rosto avermelhado, usando perneiras e calça xadrez, que parecia ser o dono do bar, acariciava-lhe o focinho e oferecia-lhe açúcar para comer. Seu pelo estava recém-aparado e havia uma fita escarlate em volta de sua crina. Ela parecia feliz, segundo os pombos. Nenhum dos animais jamais voltou a mencionar Mollie.

Em janeiro, o tempo piorou cruelmente. A terra mais parecia ferro e não se podia fazer nada nos campos. Muitas reuniões foram realizadas no grande celeiro, e os porcos se ocupavam com o planejamento do trabalho para a próxima estação. Ficou acertado que os porcos, claramente mais espertos que os outros animais, decidiriam todas as questões políticas da fazenda, embora suas decisões devessem ser ratificadas por uma maioria de votos. Esse acordo até teria funcionado, não fossem os desentendimentos entre Bola-de-Neve e Napoleão, que discordavam sobre todo e qualquer ponto em que fosse possível divergir. Se um deles sugerisse semear um terreno maior com cevada, o outro pediria um terreno maior de aveia, e se um deles dissesse que tais e tais campos eram ideais para repolhos, o outro afirmaria que eram inúteis para qualquer outra coisa além de tubérculos. Cada um tinha seus partidários, e havia discussões violentas. Nas Reuniões, Bola-de-Neve geralmente ganhava por maioria com seus discursos brilhantes, mas Napoleão era melhor em angariar apoio para si durante os intervalos. Era especialmente bem-sucedido com as ovelhas, as quais ultimamente andavam balindo "Quatro pernas bom, duas pernas ruim" tanto em momentos apropriados quanto inapropriados, e muitas vezes interrompiam a Reunião com isso. Notou-se que eram especialmente propensas a irromper em "Quatro pernas bom, duas pernas ruim" em momentos cruciais dos discursos de Bola-de-Neve. Este tinha feito um estudo detalhado de alguns antigos exemplares de *Fazendeiro e Pecuarista* encontrados na sede da fazenda, e andava cheio de planos de inovações e melhorias. Ele falava sabidamente sobre drenagem de campo, silagem e resíduos básicos, além de ter elaborado um esquema complicado para que todos os animais deixassem seu estrume diretamente nos campos, num local diferente a cada dia, para poupar o trabalho de transporte. Napoleão não criava esquemas próprios, mas dizia discretamente que o plano de Bola-de-Neve não daria em nada, e parecia estar esperando a sua hora. Contudo, de todas as controvérsias entre os dois, nenhuma foi tão implacável quanto a do moinho de vento.

No grande pasto, não muito longe das construções da fazenda, havia uma pequena colina que era o ponto mais elevado da fazenda. Depois de examinar o solo, Bola-de-Neve declarou que aquele era o lugar ideal para um moinho de vento, que podia ser construído para operar um gerador e fornecer energia elétrica para a fazenda. Isso tornaria possível iluminar os estábulos e aquecê-los no inverno, além de permitir o funcionamento de uma serra circular, um triturador de cereais, um cortador de beterraba e uma máquina de ordenha elétrica. Os animais nunca tinham ouvido falar nessas coisas (pois a fazenda funcionava à moda antiga e contava apenas com o maquinário mais primitivo) e ouviam impressionados à medida que Bola-de-Neve evocava imagens de máquinas fantásticas que realizariam o trabalho no lugar deles, enquanto eles pastariam tranquilos nos campos e poderiam aprimorar a mente por meio de leituras e conversas.

Em poucas semanas, os planos de Bola-de-Neve para o moinho de vento estavam prontos. Os detalhes mecânicos vinham principalmente de três livros que haviam pertencido ao sr. Jones – *Mil coisas úteis a se fazer para a casa*, *Todo homem pode ser seu próprio pedreiro* e *Eletricidade para iniciantes*. Para seus estudos, Bola-de-Neve se serviu de um abrigo utilizado no passado para incubadoras, cujo piso macio de madeira era apropriado como superfície para desenhar. Ele ficava enfurnado lá por horas a fio. Mantendo os livros abertos com o auxílio de uma pedra e segurando um pedaço de giz entre os nós dos dedos da pata, Bola-de-Neve se movia com rapidez para lá e para cá, desenhando uma linha depois da outra e soltando guinchos de excitação. Aos poucos, os esboços se tornaram uma massa complicada de manivelas e engrenagens cobrindo mais da metade do piso, coisa que os outros animais achavam completamente ininteligível, mas muito impressionante. Todos vinham admirar os desenhos de Bola-de-Neve pelo menos uma vez por dia. Até mesmo as galinhas e os patos, que tomaram todo o cuidado para não pisar nos traços de giz. Apenas Napoleão se mantinha arredio. Ele se declarou contra o moinho de vento desde o início. Um dia, no entanto, chegou inesperadamente para avaliar os esboços. Andou em volta do abrigo com passos pesados, examinou de perto todos os detalhes dos esboços, farejou-os uma ou duas vezes e, então, permaneceu parado por um momento, contemplando-os de canto de olho. Em seguida, repentinamente ergueu uma perna, urinou sobre os planos e saiu andando sem nada dizer.

Toda a fazenda estava profundamente dividida com o assunto do moinho. Bola-de-Neve não negava que sua construção seria uma empreitada difícil. Teriam que carregar pedras e construir muros com elas, fazer as velas e, depois disso, seriam necessários geradores e cabos. (Como esses itens seriam adquiridos, Bola-de-Neve não dizia.) Mas ele insistia que tudo podia ser feito em um ano. E então, declarava ele, o trabalho poupado seria tanto que os animais só precisariam trabalhar três dias por semana. Napoleão, por outro lado, argumentava que a grande necessidade do momento era aumentar a produção de alimento e que, se gastassem tempo com o moinho, todos morreriam de fome. Os animais dividiram-se em duas facções sob os slogans "Vote em Bola-de-Neve por três dias de trabalho por semana" e "Vote em Napoleão por uma manjedoura cheia". Benjamin foi o único animal que não se alinhou a nenhuma facção. Recusava-se a acreditar tanto que a comida seria mais abundante quanto que o moinho economizaria trabalho. Com ou sem moinho, dizia ele, a vida continuaria a mesma – ou seja, ruim.

Além das disputas acerca do moinho, havia também a questão da defesa da fazenda. Os bichos sabiam que, embora os seres humanos tivessem sido derrotados na Batalha do Estábulo, poderia haver outra tentativa, ainda mais determinada, de retomar a fazenda e reintegrar o sr. Jones. Eles tinham ainda mais motivos para pensar nisso porque a notícia da derrota se espalhara por toda a zona rural, tornando os animais das fazendas vizinhas mais indóceis do que nunca. Como de costume, Bola-de-Neve e Napoleão discordavam. De acordo com Napoleão, os animais precisavam adquirir armas de fogo e deviam ser treinados para usá-las. Já para Bola-de-Neve, eles deviam mandar mais e mais pombos a fim de incitar a rebelião entre os animais de outras fazendas. Um argumentava que, se não pudessem se defender, estariam fadados à submissão; o outro alegava que, se rebeliões acontecessem por toda parte, eles nem sequer precisariam se defender. Os animais ouviam primeiro Napoleão, depois Bola-de-Neve, e não conseguiam decidir sobre quem estava certo; na verdade, sempre se viam concordando com aquele que estivesse falando no momento.

Por fim, chegou o dia em que os planos de Bola-de-Neve foram concluídos. Na Reunião do domingo seguinte seria votada a questão sobre se deveriam ou não começar a trabalhar no moinho. Quando os animais se reuniram no grande celeiro, Bola-de-Neve se levantou e, embora eventualmente interrompido pelos balidos das ovelhas, apresentou seus motivos em prol da construção do moinho. Em seguida, Napoleão se levantou para responder. De maneira bem calma ele disse que o moinho era uma bobagem e que não aconselhava ninguém a votar por aquilo, voltando a se sentar prontamente; ele não tinha falado nem por trinta segundos e parecia quase indiferente ao efeito que produzira. Depois disso, Bola-de-Neve pôs-se de pé num pulo e, aos gritos para silenciar as ovelhas, que tinham recomeçado a balir, irrompeu num apelo inflamado a favor do moinho. Até então, os animais estavam quase igualmente divididos em suas inclinações, mas em questão de instantes a eloquência de Bola-de-Neve os conquistou. Com frases radiantes, pintou um retrato de como seria a Fazenda dos Bichos quando o trabalho sórdido fosse tirado das costas dos animais. Agora a imaginação dele tinha ido bem além de trituradores de cereais e cortadores de nabo. A eletricidade, dizia ele, operaria máquinas de debulha, arados, rastelos, rolos compressores, ceifadeiras e enfeixadeiras, além de fornecer luz elétrica para cada estábulo, água quente e fria, e um aquecedor elétrico. Quando terminou de falar, não havia dúvidas quanto a quem levaria os votos. Mas naquele exato momento Napoleão se levantou e, lançando um olhar de soslaio bem peculiar para Bola-de-Neve, soltou um grunhido estridente que ninguém jamais ouvira dele antes.

Em resposta, ouviram-se uivos terríveis do lado de fora e nove cães enormes, usando coleiras com tachas de metal, entraram saltando no celeiro. Eles foram direto atrás de Bola-de-Neve, que saltou do lugar onde estava bem a tempo de escapar das presas esbravejantes deles. Num instante, saiu pela porta com os cachorros em seu encalço. Impressionados e assustados demais para falar, todos os animais se apinharam na porta para assistir à caça. Bola-de-Neve corria pelo longo pasto que levava à estrada. Ele corria como só um porco era capaz de correr, mas os cachorros estavam bem perto, nos seus calcanhares. De repente, ele escorregou e sua captura parecia certa, mas logo estava de pé outra vez, correndo mais rápido do que nunca, até que os cães o alcançaram novamente. Um deles quase abocanhou o rabo de Bola-de-Neve com suas presas, mas o porco conseguiu escapulir bem a tempo. Em seguida, ele fez um esforço extra e, com alguns centímetros de vantagem, deslizou por um buraco na cerca viva e não foi mais visto.

Calados e aterrorizados, os animais se arrastaram de volta para o celeiro. Pouco depois os cachorros retornaram aos saltos. De início, ninguém conseguia imaginar de onde tinham vindo aquelas criaturas, mas o mistério logo foi resolvido: eram os filhotes que Napoleão tinha tirado das mães e criado secretamente. Embora ainda não fossem adultos, eram cães enormes e de aparência tão feroz quanto lobos. Ficaram em volta de Napoleão, e notou-se que balançavam o rabo para ele assim como outros cachorros costumavam fazer com o sr. Jones.

Agora, com os cachorros a segui-lo, Napoleão subiu na plataforma onde Major tinha se instalado para fazer seu discurso. Anunciou que, dali em diante, as reuniões de domingo de manhã não aconteceriam mais, pois eram desnecessárias, dizia ele, e desperdiçavam tempo. No futuro, todas as questões relacionadas ao trabalho na fazenda seriam resolvidas por um comitê especial de porcos, presidido por ele próprio. Eles se reuniriam em privado e depois comunicariam as decisões aos outros. Os animais ainda se reuniriam nas manhãs de domingo para saudar a bandeira, cantar

"Bichos da Inglaterra" e receber as ordens da semana, mas não haveria mais debates.

A despeito do choque causado neles pela expulsão de Bola-de-Neve, os animais ficaram desalentados com o anúncio. Vários teriam protestado se tivessem conseguido encontrar os devidos argumentos. Até mesmo Samba-Canção mostrava-se vagamente apreensivo. Ele baixou as orelhas, sacudiu a crina várias vezes e se esforçou para ordenar os pensamentos; no fim das contas, porém, não conseguiu pensar em nada para dizer. Alguns dos porcos, no entanto, foram mais articulados. Quatro porquinhos na fileira da frente soltaram chiados agudos em desaprovação, e todos se levantaram e começaram a falar de uma vez só. Mas, de repente, os cães sentados ao redor de Napoleão soltaram uivos profundos e ameaçadores, e os porcos se calaram e tornaram a se sentar. Então as ovelhas irromperam num tremendo balido de "Quatro pernas bom, duas pernas ruim!" que se estendeu por quase quinze minutos, acabando com qualquer chance de discussão.

Mais tarde, mandaram Tagarela percorrer a fazenda para explicar o novo combinado aos demais.

– Camaradas – disse ele –, confio que cada animal aqui aprecia o sacrifício que o Camarada Napoleão fez ao assumir esse trabalho extra. Não imaginem, camaradas, que a liderança é um prazer! Pelo contrário, é uma responsabilidade profunda e difícil. Ninguém acredita com mais firmeza do que o Camarada Napoleão que todos os animais são iguais. Ele ficaria muitíssimo feliz em deixar vocês tomarem decisões por conta própria, mas, às vezes, vocês podem acabar tomando decisões erradas, camaradas, e aí o que seria de nós? Imaginem se vocês tivessem decidido ficar ao lado do Bola-de-Neve, com seu devaneio de moinho de vento. O mesmo Bola-de-Neve que, como agora sabemos, não passava de um criminoso, não é?

– Ele lutou bravamente na Batalha do Estábulo – alguém disse.

– Bravura não é suficiente – retrucou Tagarela. – Lealdade e obediência importam mais. E quanto à Batalha do Estábulo, creio que em algum momento descobriremos que a participação do Bola-de-Neve nisso foi bastante exagerada. Disciplina, camaradas, disciplina de ferro! Esse é o lema por hoje. Bastaria um passo em falso e nossos inimigos estariam em cima de nós. Com certeza, camaradas, vocês não querem o Jones de volta, não é?

Uma vez mais, não era possível responder a esse argumento. Certamente os animais não queriam Jones de volta; se manter os debates nas manhãs de domingo fosse trazê-lo de volta, então os debates deviam ser interrompidos. Samba-Canção, que agora tivera tempo para repensar as coisas, manifestou o sentimento geral: "Se o Camarada Napoleão diz, deve estar certo". E, dali em diante, ele adotou a máxima "O Napoleão sempre tem razão", além do seu lema pessoal "Vou trabalhar mais ainda".

Naquela altura, o tempo havia melhorado e a aragem da primavera tinha começado. O abrigo onde Bola-de-Neve desenhara seus planos para o moinho fora fechado, e assumiu-se que os desenhos tinham sido apagados do chão. Todo domingo de manhã, às dez horas, os animais se reuniam no grande celeiro para receber as ordens da semana. O crânio do velho Major, agora sem carne alguma, tinha sido desenterrado do pomar e colocado sobre um toco ao pé do mastro, ao lado da arma. Depois de içar a bandeira, os animais deveriam passar pelo crânio de modo reverente antes de entrar no celeiro. Agora eles não se sentavam mais todos juntos como antes. Napoleão, Tagarela e outro porco chamado Minimus, cujo talento para compor músicas e poemas era notável, sentaram-se na frente da plataforma, com os nove jovens cães em semicírculo ao redor deles e os outros porcos sentados atrás. O resto dos animais se acomodou observando-os no espaço principal do celeiro. Napoleão leu as ordens da semana de modo brusco, como um soldado, e depois de cantarem "Bichos da Inglaterra" uma única vez, todos os animais se dispersaram.

No terceiro domingo depois da expulsão de Bola-de-Neve, os animais se surpreenderam ao ouvir Napoleão anunciar que, no fim das contas, o moinho de vento seria construído. Ele não apresentou qualquer motivo que o tivesse feito mudar de ideia, e limitou-se apenas a alertar os animais de que essa tarefa extra representaria muito trabalho duro, podendo talvez até ser necessário reduzir suas rações. Contudo, os planos estavam todos preparados nos mínimos detalhes. Um comitê especial de porcos tinha se dedicado a isso nas últimas três semanas. Esperava-se que a construção do moinho, com várias outras melhorias, levasse dois anos.

Naquela noite, Tagarela explicou separadamente aos outros animais que, na realidade, Napoleão nunca tinha sido contra o moinho. Pelo contrário, foi ele quem defendera a ideia no início, e o plano que Bola-de-Neve havia desenhado no piso do abrigo da incubadora fora de fato roubado dos papéis de Napoleão. Na verdade, o moinho era criação do próprio Napoleão.

– Por que, então – alguém perguntou –, ele se manifestou com tanta veemência contra o moinho?

Ali, Tagarela pareceu bastante dissimulado.

– Aquilo – disse ele – foi uma artimanha do Camarada Napoleão. Ele FINGIA se opor ao moinho simplesmente como uma manobra para se livrar do Bola-de-Neve, que era um personagem perigoso e uma má influência. Agora que o

Bola-de-Neve não está mais no caminho, o plano pode seguir adiante sem sua interferência. Isso – dizia Tagarela – é algo chamado tática. – Ele repetiu várias vezes: – Tática, camaradas, tática! – saltando em círculos e chacoalhando seu rabo com uma risada alegre.

Os animais não tinham muita certeza do significado daquela palavra, mas Tagarela falava de maneira tão persuasiva, e os três cães que o acompanhavam uivavam de um jeito tão ameaçador, que aceitaram essa explicação sem maiores questões.

Durante todo aquele ano, os animais trabalharam feito escravos. Mas sentiam-se felizes no trabalho, não ressentiam qualquer esforço ou sacrifício, bem cientes de que tudo o que faziam era em benefício deles próprios e de outros iguais a eles que viriam depois, e não de um bando de seres humanos preguiçosos e larápios.

Ao longo da primavera e do verão, trabalharam sessenta horas por semana, e, no mês de agosto, Napoleão anunciou que trabalhariam também nas tardes de domingo. Esse trabalho era estritamente voluntário, mas o animal que se ausentasse da tarefa teria as rações reduzidas pela metade. Mesmo assim, foi necessário deixar determinadas tarefas não terminadas. A colheita não foi tão bem-sucedida quanto no ano anterior e dois campos que deveriam ter sido semeados com tubérculos no início do verão não o foram, porque a aragem da terra não tinha sido concluída a tempo. Era possível prever que o inverno seguinte não seria dos mais fáceis.

O moinho de vento apresentou dificuldades inesperadas. Havia uma boa pedreira de calcário na fazenda e os bichos tinham encontrado bastante areia e cimento em um dos galpões, de modo que todos os materiais de construção estavam à mão. Contudo, o problema que os animais não conseguiam resolver de início foi o de quebrar a pedra em pedaços de tamanhos apropriados. Parecia não haver outro jeito de fazer isso senão com picaretas e pés de cabra, coisas que nenhum animal era capaz de usar por não conseguir ficar de pé nas patas traseiras. Foi somente após semanas de esforço em vão que a ideia certa ocorreu a algum deles – usar a força da gravidade. Havia rochas imensas, grandes demais para serem usadas como estavam, espalhadas por toda a superfície da pedreira. Os animais amarraram cordas em volta delas para, todos juntos, vacas, cavalos, ovelhas, qualquer animal que conseguisse segurar a corda – até mesmo os porcos colaboraram em momentos críticos –, arrastarem-nas com desesperada lentidão até o alto da ladeira no topo da pedreira, de onde as derrubavam pela beirada para que se estilhaçassem em pedacinhos lá embaixo. Transportar pedras depois de quebradas era comparativamente simples. Os cavalos levavam-nas em carroças, as ovelhas arrastavam blocos individuais, até mesmo Muriel e Benjamin se atrelaram a uma antiga charrete e fizeram sua parte. Ao fim do verão, um bom suprimento de pedra tinha sido acumulado, e então, sob superintendência dos porcos, a construção começou.

O processo, porém, era lento e laborioso. Com frequência, levava um dia inteiro de esforço cansativo para arrastar uma única rocha até o topo da pedreira e, por vezes, ao ser empurrada lá de cima, nem se quebrava. Nada poderia ter sido feito sem Samba-Canção, cuja força parecia se equiparar à de todos os outros animais juntos. Quando a rocha começava a deslizar e os animais berravam de desespero pelo risco de serem arrastados ladeira abaixo, era sempre Samba-Canção quem puxava a corda com força e fazia a rocha parar. Vê-lo subir a ladeira centímetro por centímetro, a respiração se intensificando, as pontas dos cascos se agarrando ao chão e as grandes ancas opacas pelo suor causava admiração em todos. Às vezes, Trevo o alertava para que tomasse cuidado e não se esforçasse demais, mas Samba-Canção nunca lhe dava ouvidos. Seus dois slogans, "Vou trabalhar mais ainda" e "O Napoleão sempre tem razão", pareciam ser para ele uma resposta suficiente a todos os problemas. Ele tinha se acertado com o galo para chamá-lo quarenta e cinco minutos mais cedo pela manhã, em vez de meia hora. E nos momentos livres, escassos naqueles dias, Samba-Canção ia sozinho à pedreira, coletava uma carga de pedras quebradas e as arrastava até o local do moinho sem ajuda alguma.

Apesar do trabalho duro que faziam, os animais não passaram muito mal durante aquele verão. Se não tinham mais comida do que na época do Jones, também não tinham menos. A vantagem de alimentarem somente a si mesmos, sem ter de sustentar cinco seres humanos extravagantes a mais, era tão maior que eles precisariam de muitos fracassos para superar isso. E, em muitos aspectos, o método usado pelos bichos para fazer as coisas era mais eficiente e poupava trabalho. Funções como capinar as ervas daninhas podiam ser feitas com uma perfeição impossível aos seres humanos. E, uma vez mais, como agora nenhum animal roubava, era desnecessário separar o pasto das terras cultiváveis, o que poupava muito trabalho na manutenção de cercas vivas e portões. Todavia, com o passar do verão, várias dificuldades imprevistas começaram a ser sentidas. Faltava óleo de parafina, pregos, fios, biscoitos para cães e ferro para as ferraduras dos cavalos, coisas que não podiam ser produzidas na fazenda. Mais adiante, também precisariam de sementes e adubo artificial, além de várias ferramentas e, por fim, o maquinário para o moinho. Ninguém imaginava como tudo isso seria adquirido.

Num domingo de manhã, quando os animais se reuniram para receber as ordens, Napoleão anunciou que tinha se decidido sobre uma nova política. Dali em diante, a Fazenda dos Bichos faria transações com as fazendas vizinhas – é claro que não para fins comerciais, apenas para obter determinados materiais que eram necessários com urgência. Segundo ele, as exigências do moinho deveriam se sobrepor a todas as outras coisas. Por isso, estava fazendo acordos para vender uma pilha de feno e parte da colheita de trigo daquele ano; mais para a frente, caso precisassem de mais dinheiro, teriam de recorrer à venda de ovos, para os quais sempre havia mercado em Willingdon. – As galinhas – disse Napoleão – devem aceitar esse sacrifício como contribuição especial para a construção do moinho.

Mais uma vez os animais sentiram uma vaga inquietação. Nunca negociar com humanos, nunca se envolver em comércio, nunca usar dinheiro – essas resoluções não estavam entre as primeiras aprovadas naquela primeira Reunião triunfante depois da expulsão de Jones? Todos os animais se lembravam de ter aprovado tais resoluções, ou, pelo menos, pensavam se lembrar disso. Os quatro jovens porcos que protestaram quando Napoleão aboliu as Reuniões ergueram a voz timidamente, mas logo foram silenciados por uivos tremendos dos cachorros. Daí, como de costume, as ovelhas irromperam em "Quatro pernas bom, duas pernas ruim!", e a estranheza momentânea se apaziguou. Por fim, Napoleão ergueu a pata pedindo silêncio e anunciou que já tinha feito todos os acordos. Nenhum dos animais precisaria fazer contato com seres humanos, o que, claramente, seria mais do que indesejável. Ele assumiria todo aquele fardo sobre os próprios ombros. Um tal de sr. Lenga-Lenga, um advogado que vivia em Willingdon, havia topado atuar como intermediário entre a Fazenda dos Bichos e o mundo exterior, e toda segunda-feira pela manhã visitaria a fazenda para receber as instruções. Napoleão encerrou o discurso com o tradicional grito de "Vida longa à Fazenda dos Bichos!" e, depois de cantarem "Bichos da Inglaterra", os animais foram dispensados.

Mais tarde, ao dar uma volta pela fazenda, Tagarela acalmou os animais garantindo-lhes que a resolução de não se envolver em comércio e não usar dinheiro nunca tinha sido aprovada, nem sequer sugerida. Era pura imaginação, provavelmente até podia ter se originado, para começo de conversa, das mentiras espalhadas por Bola-de-Neve. Alguns poucos animais ainda se sentiram ligeiramente duvidosos, mas Tagarela lhes perguntou com astúcia:

– Vocês têm certeza de que isso não é algo que sonharam, camaradas? Vocês têm algum registro de uma resolução dessas? Está escrito em algum lugar?

E como certamente era verdade que nada daquele tipo existia por escrito, os animais se convenceram de que haviam mesmo se enganado.

Como acordado, toda segunda-feira o sr. Lenga-Lenga visitava a fazenda. Era um homenzinho de aspecto dissimulado e com costeletas, um advogado que, mesmo não sendo um ás dos negócios, era afiado o bastante para notar antes de qualquer outro que a Fazenda dos Bichos precisaria de um corretor e que as comissões valeriam a pena. Os animais acompanhavam suas idas e vindas com certo pavor e o evitavam ao máximo. Contudo, a visão de Napoleão, de quatro, dando ordens para Lenga-Lenga, que andava sobre duas pernas, despertava certo orgulho neles e os reconciliou parcialmente com esse novo acerto. A partir de então as relações com a raça humana não eram exatamente as mesmas de antes. Os seres humanos não odiavam menos a Fazenda dos Bichos agora que ela estava indo de vento em popa; na verdade, odiavam-na mais do que nunca. Todo ser humano tinha como artigo de fé que a fazenda entraria em falência mais cedo ou mais tarde e, acima de tudo, que o moinho seria um fracasso. Eles se encontravam nos bares e provavam uns aos outros através de diagramas que o moinho estava prestes a desmoronar ou que, mesmo se parasse de pé, jamais funcionaria direito. Ainda assim, contra a própria vontade, acabaram desenvolvendo certo respeito pela eficiência com que os animais geriam os negócios. Um sintoma disso era que tinham começado a chamar a Fazenda dos Bichos pelo próprio nome em vez de fingir que se chamava Fazenda do Solar. Também tinham deixado de lado a defesa de Jones, que abandonara a esperança de recuperar a fazenda e fora viver em outra parte do condado. Exceto por meio de Lenga-Lenga, ainda não havia contato entre a Fazenda dos Bichos e o mundo exterior, mas circulavam rumores de que Napoleão estava prestes a fazer um acordo definitivo com o sr. Pilkington da Foxwood ou com o sr. Frederick da Pinchfield – mas nunca, ressaltavam, com os dois ao mesmo tempo.

Foi por volta dessa época que os porcos se mudaram repentinamente para a sede da fazenda e passaram a morar lá. Mais uma vez os animais pareciam se lembrar de terem aprovado uma resolução contra isso no passado e, de novo, Tagarela conseguiu convencê-los de que não era bem assim. Segundo ele, era absolutamente necessário que os porcos, os cérebros da fazenda, tivessem um local calmo para trabalhar. Também era mais apropriado à dignidade do Líder (pois recentemente ele tinha começado a se referir a Napoleão com o título de "Líder") viver em uma casa do que em um mero chiqueiro. No entanto, alguns dos animais se sentiram incomodados quando ouviram falar que os porcos não só faziam as refeições na cozinha e usavam a sala de estar como local de recreação, como também dormiam nas camas. Samba-Canção, como de costume, deixou mais essa passar com seu "O Napoleão sempre tem razão!", mas Trevo, que pensava se lembrar de uma regra definitiva quanto ao uso de camas, foi até o fundo do celeiro e tentou decifrar os Sete Mandamentos que lá estavam escritos. Descobrindo-se incapaz de ler algo além das letras individualmente, saiu em busca de Muriel.

– Muriel – disse ela –, leia o Quarto Mandamento para mim. Não diz algo sobre nunca dormir em uma cama?

Com alguma dificuldade, Muriel leu claramente:

– Ele diz: "Nenhum animal deve dormir em uma cama com lençóis" – anunciou a cabra, por fim.

De maneira bastante curiosa, Trevo não se lembrava de que o Quarto Mandamento mencionava lençóis, mas, se estava ali na parede, devia ser aquilo mesmo. E Tagarela, que passava por ali bem naquele momento acompanhado de dois ou três cães, conseguiu colocar toda a discussão sob a própria perspectiva:

– Então vocês ouviram, camaradas – disse ele –, que nós, porcos, agora dormimos nas camas da sede da fazenda? E por que não? Vocês não imaginaram, claro, que houvesse alguma regra contra camas, não é? Uma cama não passa de um lugar onde dormir. Pensando bem, uma pilha de palha no estábulo é uma cama. A regra era contra os lençóis, que são uma invenção humana. Nós tiramos os lençóis das camas e dormimos entre cobertores. E essas camas também são muito confortáveis! Mas nenhum conforto a mais do que precisamos, posso dizer a vocês, camaradas, considerando todo o trabalho mental que temos que fazer hoje em dia. Vocês não nos privariam do nosso descanso, não é, camaradas? Vocês não iriam querer que ficássemos cansados demais para seguir em frente com nossos deveres, não é? Com certeza nenhum de vocês deseja ter o Jones de volta, certo?

Os animais o tranquilizaram quanto a isso, e nada mais foi dito sobre o assunto. E quando, alguns dias depois, foi anunciado que dali em diante os porcos acordariam de manhã uma hora mais tarde que os outros animais, tampouco houve qualquer reclamação a respeito.

Por volta do outono, os animais estavam cansados, mas felizes. Eles tinham tido um ano difícil e, com a venda de parte do feno e do milho, os estoques para o inverno não estavam lá muito cheios, mas o moinho compensava tudo. A construção já estava pela metade. Depois da colheita, houve um período de tempo seco e limpo, e os animais labutaram mais duro do que nunca, achando que valia muito a pena se arrastar para lá e para cá o dia todo carregando blocos de pedra desde que, com isso, conseguissem fazer as paredes crescerem mais um palmo. Samba-Canção ia para lá até mesmo durante as noites e trabalhava por conta própria por uma ou duas horas, sob o clarão da lua cheia. Nos momentos livres, os animais andavam sem parar em volta do moinho semiconstruído, admirando a força e a perpendicularidade de suas paredes e maravilhados com a própria capacidade por terem conseguido construir algo tão imponente. Somente o velho Benjamin se recusava a ficar empolgado com o moinho, embora, como sempre, ele não resmungasse nada além do comentário cifrado de que os jegues viviam por muito tempo.

Novembro chegou e com ele vieram os furiosos ventos do sudoeste. A construção teve que ser interrompida porque o clima estava úmido demais para misturar o cimento. Finalmente, houve uma noite em que o vendaval foi tão violento que as construções da fazenda sacudiram em suas fundações e várias telhas voaram do telhado do celeiro. As galinhas acordaram cacarejando aterrorizadas porque todas sonharam ter ouvido uma arma disparada ao longe. Pela manhã, os animais saíram dos estábulos e descobriram que o mastro da bandeira tinha sido derrubado e um ulmeiro que ficava na beirada do pomar havia sido arrancado feito um rabanete. Tinham acabado de perceber isso quando um grito de desespero brotou da garganta de cada um dos bichos. Uma visão terrível lhes atingira os olhos. O moinho estava em ruínas.

De comum acordo, eles foram em disparada até o local. Napoleão, cujo passo raramente ia além de uma caminhada, saiu correndo na frente de todos. Sim, lá estava, o fruto de todos os seus esforços, no mesmo nível das fundações, com as pedras, que tão laboriosamente haviam quebrado e carregado, espalhadas por todo canto. Incapazes de falar num primeiro momento, ficaram ali parados encarando pesarosamente o entulho de pedras caídas. Napoleão andava para lá e para cá em silêncio, farejando o chão de tempos em tempos. Seu rabo ficara rígido e se contraía bruscamente de um lado ao outro, um claro sinal de intensa atividade mental. De repente, parou como se tivesse chegado a uma conclusão.

– Camaradas – disse ele, calmamente –, vocês sabem quem é responsável por isso? Vocês sabem quem é o inimigo que veio durante a noite e destruiu nosso moinho? O BOLA-DE-NEVE! – rugiu ele repentinamente com voz de trovão. – Foi Bola-de-Neve quem fez isso! Por pura maldade, pensando em adiar nossos planos e se vingar por sua infame expulsão, esse traidor se esgueirou até aqui na calada da noite e destruiu nosso trabalho de quase um ano. Camaradas, declaro aqui e agora sentença de morte a Bola-de-Neve. Condecoração de "Herói Animal de Segunda Classe" e meio alqueire de maçãs para quem o trouxer à justiça. Um alqueire inteiro para o animal que conseguir capturá-lo vivo!

Os animais ficaram estarrecidos ao saber que Bola-de-Neve podia ser culpado por uma ação daquelas. Após um grito de indignação, todos começaram a pensar em modos de pegar o Bola-de-Neve caso ele voltasse a aparecer. Quase no mesmo instante, umas pegadas de porco foram descobertas na grama, a uma curta distância da colina. Embora só pudessem ser retraçadas a alguns metros dali, pareciam levar a um buraco na cerca viva. Napoleão farejou-as profundamente e declarou serem de Bola-de-Neve. Disse que, na sua opinião, Bola-de-Neve provavelmente tinha vindo da direção da Fazenda Foxwood.

– Sem mais demora, camaradas! – gritou Napoleão depois de examinar as pegadas. – Há trabalho a ser feito. Esta manhã mesmo começamos a reconstruir o moinho e trabalharemos durante todo o inverno, faça chuva ou faça sol. Vamos ensinar a esse traidor miserável que ele não pode desfazer nosso trabalho tão fácil assim. Lembrem-se, camaradas, não deve haver nenhuma alteração em nossos planos: vamos segui-los à risca. Adiante, camaradas! Vida longa ao moinho! Vida longa à Fazenda dos Bichos!

Foi um inverno amargo. O clima tempestuoso veio seguido de granizo e neve e, depois, de geadas intensas que só foram dar trégua em meados de fevereiro. Os animais continuaram fazendo o melhor que podiam com a reconstrução do moinho de vento, sabendo muito bem que o mundo exterior assistia a tudo e que os invejosos seres humanos iam se regozijar e triunfar caso o moinho não fosse terminado a tempo.

Por puro despeito, os seres humanos fingiam não acreditar ter sido Bola-de-Neve quem destruíra o moinho; diziam que a construção havia caído porque as paredes eram finas demais. Os bichos sabiam que não era bem isso. Ainda assim, decidiram que, desta vez, construiriam as paredes com noventa centímetros de espessura em vez dos quarenta e cinco centímetros de antes, o que significava coletar quantidades muito maiores de pedra. Por um longo período, a pedreira esteve cheia de neve acumulada e nada pôde ser feito. Houve algum progresso durante o tempo seco de geadas que veio em seguida, mas era um trabalho cruel, e os animais não sentiam mais tanta esperança no moinho quanto haviam sentido antes. Estavam sempre com frio e, normalmente, também com fome. Apenas Samba-Canção e Trevo nunca perderam a fé. Tagarela fez discursos excelentes sobre a alegria do serviço e a dignidade da labuta, mas os outros animais encontravam mais inspiração na força de Samba-Canção e em seu infalível grito de "Vou trabalhar mais ainda!".

Em janeiro, começou a faltar alimento. A ração de milho foi drasticamente reduzida e anunciou-se que uma ração extra de batatas seria liberada para compensar. Depois se descobriu que a maioria das pilhas de batatas colhidas tinha congelado, pois não estavam protegidas com uma cobertura grossa o suficiente. As batatas ficaram moles e descoradas, e poucas ainda eram comestíveis. Por dias a fio, os animais não tiveram nada para comer além de palha e beterrabas. A inanição parecia encará-los de frente.

Era imprescindível ocultar esse fato do mundo exterior. Encorajados pelo colapso do moinho de vento, os seres humanos inventavam mentiras fresquinhas sobre a Fazenda dos Bichos. Mais uma vez espalhavam que todos os animais estavam morrendo de fome e de doenças, que havia brigas contínuas entre eles e que, inclusive, vinham apelando para o canibalismo e o infanticídio. Napoleão estava bem ciente dos péssimos resultados que viriam em seguida se os fatos reais sobre a situação alimentar chegassem a conhecimento, então decidiu recorrer ao sr. Lenga-Lenga para espalhar uma impressão contrária. Até aquele momento, os animais haviam tido pouco ou nenhum contato com Lenga-Lenga em suas visitas semanais; agora, no entanto, alguns animais selecionados, principalmente as ovelhas, eram instruídos a comentar casualmente na presença dele sobre as rações que tinham aumentado. Além disso, Napoleão ordenou que os latões quase vazios no depósito fossem preenchidos de areia quase até a boca, para depois serem cobertos com o que restava de grãos e comes. Sob algum pretexto apropriado, Lenga-Lenga foi conduzido pelo depósito e pôde notar os latões. Ele ficou decepcionado e continuou a relatar ao mundo exterior que não faltavam alimentos na Fazenda dos Bichos.

Contudo, no fim de janeiro, ficou óbvio que seria necessário comprar mais grãos de algum lugar. Naqueles dias, Napoleão raramente aparecia em público, passando todo o tempo na sede da fazenda, cujas portas eram guardadas por cães ferozes. Quando apareceu de fato, ele o fez de maneira cerimonial, com uma escolta de seis cães que o cercavam bem de perto e uivavam caso alguém se aproximasse demais. Com certa frequência ele não aparecia nem nas manhãs de domingo, mas passava as ordens por um dos outros porcos, geralmente o Tagarela.

Numa manhã de domingo, Tagarela anunciou que as galinhas, que tinham acabado de retomar a atividade poedeira, deviam abrir mão de seus ovos. Napoleão aceitara, por meio de Lenga-Lenga, um contrato por quatrocentos ovos por semana. O valor obtido pagaria por grãos e farinha suficientes para manter a fazenda funcionando até chegar o verão e as condições melhorarem.

Quando ouviram isso, as galinhas começaram um tremendo escândalo. Já haviam sido avisadas de que esse sacrifício talvez fosse necessário, mas não acreditavam que aconteceria de fato. Elas estavam preparando suas ninhadas para a chocagem de primavera e protestaram que levar os ovos embora naquela altura era um assassinato. Pela primeira vez desde a expulsão de Jones, aconteceu algo parecido com uma rebelião. Lideradas por três jovens frangas pretas da raça Minorca, as galinhas esforçaram-se para frustrar os desejos de Napoleão. O método consistia em voar até as vigas e lá botar seus ovos, que se espatifavam em pedacinhos no chão. Napoleão agiu rápida e cruelmente. Ordenou que as rações das galinhas fossem cortadas e decretou que qualquer animal que lhes desse um grão de milho sequer seria punido com morte. Os cachorros cuidaram para que as ordens fossem seguidas. Por cinco dias as galinhas aguentaram firme, depois capitularam e retornaram aos seus caixotes no poleiro. Nesse meio-tempo, nove galinhas morreram. Os corpos foram enterrados no pomar e espalhou-se que elas tinham morrido de coccidiose. Lenga-Lenga não ouviu nada sobre isso, e os ovos foram devidamente entregues, com a caminhonete de uma mercearia vindo à fazenda uma vez por semana para levá-los embora.

Durante todo esse tempo, Bola-de-Neve nunca mais foi visto. Havia rumores de que se escondia em uma das fazendas vizinhas, fosse na Foxwood, fosse na Pinchfield. A essa altura, as relações de Napoleão com os outros fazendeiros andavam melhores do que antes. Acontecia que uma pilha de madeira fora deixada no pátio dez anos antes, quando um bosque de faia havia sido removido. Como a madeira estava bem seca, Lenga-Lenga tinha aconselhado Napoleão a vendê-la; tanto o sr. Pilkington quanto o sr. Frederick estavam ansiosos para comprá-la. O porco hesitava entre os dois, incapaz de tomar uma decisão. Notou-se que, sempre que Napoleão parecia estar chegando a um acordo com Frederick, surgia o boato de que Bola-de-Neve estava escondido na Foxwood, ao passo que, quando ele se inclinava para Pilkington, dizia-se que Bola-de-Neve estava na Pinchfield.

De repente, no começo da primavera, descobriu-se algo alarmante. Bola-de-Neve secretamente frequentava a fazenda à noite! Os animais ficaram tão perturbados que mal conseguiam dormir em seus estábulos. Toda noite, diziam, ele vinha rastejando protegido pela escuridão e fazia todo tipo de malandrice. Roubou o milho, virou os baldes de leite, quebrou os ovos, pisoteou os canteiros, roeu o tronco das árvores frutíferas. Sempre que alguma coisa dava errado, era comum atribuir a culpa a Bola-de-Neve. Se uma janela quebrava ou um cano entupia, decerto alguém diria que Bola-de-Neve tinha vindo à noite e feito aquilo, e quando a chave do estoque foi perdida, toda a fazenda ficou convencida de que Bola-de-Neve a tinha jogado no fundo do poço. De maneira bastante curiosa, continuaram acreditando nisso mesmo depois que a chave desviada foi encontrada debaixo de uma saca de farinha. As vacas declararam em unanimidade que Bola-de-Neve tinha entrado furtivamente em seus estábulos e as ordenhado durante o sono. Sobre os ratos, que haviam sido encrenqueiros naquele inverno, também se dizia que estavam mancomunados com Bola-de-Neve.

Napoleão decretou uma investigação completa das atividades de Bola-de-Neve. Com a presença dos cães, ele partiu em uma visita de inspeção das construções da fazenda, com os outros animais seguindo-o a uma distância respeitosa. Bastavam alguns passos para que Napoleão parasse e farejasse o chão em busca de traços de pegadas de Bola-de-Neve, que ele dizia ser capaz de identificar pelo cheiro. Farejou todos os cantos, no celeiro, no estábulo, nos galinheiros, na horta de vegetais, e encontrou traços de Bola-de-Neve em quase todos os lugares. Com o focinho no chão, dava várias fungadas profundas e exclamava com uma voz terrível:

– Bola-de-Neve! Ele esteve aqui! Consigo sentir o cheiro dele distintamente!

Ao ouvir o nome "Bola-de-Neve", os cachorros soltavam uivos de congelar o sangue, mostrando os dentes laterais.

Os animais estavam completamente assustados. Tinham a impressão de que Bola-de-Neve era uma espécie de influência invisível, impregnando o ar em volta deles e ameaçando-os de todo tipo de perigo. À noite, Tagarela convocou todos os animais e, com uma expressão alarmada no rosto, informou-lhes que tinha algumas novidades sérias a relatar.

– Camaradas! – gritou Tagarela, dando saltinhos nervosos. – A mais terrível das coisas foi descoberta. Bola-de-Neve se vendeu ao Frederick da Fazenda Pinchfield, e o homem está, neste exato momento, tramando para nos atacar e tirar nossa fazenda de nós! Bola-de-Neve deverá agir como seu guia quando o ataque começar. Mas tem algo ainda pior do que isso. Pensávamos que a rebelião do Bola-de-Neve tinha sido causada simplesmente por sua vaidade e ambição. Mas estávamos errados, camaradas. Vocês sabem qual era o verdadeiro motivo? Bola-de-Neve estava mancomunado com Jones desde o princípio! Ele era o agente secreto do Jones o tempo todo. Tudo foi provado por documentos que ele deixou para trás e que acabamos de descobrir. A meu ver, isso explica muita coisa, camaradas. Não vimos com nossos próprios olhos como ele tentou, felizmente sem sucesso, fazer com que fôssemos derrotados e destruídos na Batalha do Estábulo?

Os animais estavam estupefatos. Tal perversidade ultrapassava de longe o fato de Bola-de-Neve ter destruído o moinho. No entanto, demorou alguns minutos até que eles conseguissem digerir tudo aquilo. Todos se lembravam, ou achavam que lembravam, de como tinham visto Bola-de--Neve atacando na frente deles na Batalha do Estábulo, como ele os havia reunido e encorajado a cada ação, e como não tinha parado por um instante sequer quando as balas da arma do Jones lhe feriram as costas. A princípio, foi um pouco difícil ver como isso se encaixava nessa história de estar do lado do Jones. Até mesmo Samba-Canção, que raramente fazia perguntas, ficou encucado. Ele se deitou, acomodou os cascos dianteiros debaixo de si, fechou os olhos e, com muito esforço, conseguiu formular seus pensamentos.

– Não acredito nisso – disse ele. – O Bola-de-Neve lutou bravamente na Batalha do Estábulo. Vi com meus próprios olhos. Nós não demos a ele a condecoração de "Herói Animal de Primeira Classe" logo em seguida?

– Isso foi um erro nosso, camarada. Pois agora sabemos, está tudo escrito nos documentos secretos que encontramos, que, na verdade, ele tentava nos atrair para a nossa ruína.

– Mas ele foi ferido – retrucou Samba-Canção. – Todos o vimos correr ensanguentado.

– Isso era parte do acordo! – gritou Tagarela. – O tiro do Jones só o atingiu de raspão. Se conseguissem ler, eu lhes mostraria esse documento de próprio punho dele. A trama era para que o Bola-de-Neve, no momento mais crítico, desse o sinal de fuga a fim de deixar o campo para o inimigo. E ele quase foi bem-sucedido nisso... Ouso até dizer, camaradas, que ele TERIA sido bem-sucedido se não fosse o nosso heroico Líder, o Camarada Napoleão. Vocês não se lembram de como, bem no momento em que Jones e seus homens entraram no pátio, o Bola-de-Neve deu uma repentina meia-volta e fugiu, e que muitos animais foram atrás dele? E vocês não se lembram também de que foi justo naquele momento, quando o pânico se espalhava e tudo parecia estar perdido, que o Camarada Napoleão saltou para a frente com um grito de "Morte à humanidade!" e cravou os dentes na perna de Jones? Com certeza DISSO vocês se lembram, não é, camaradas? – exclamou Tagarela, saltitando de um lado ao outro.

Agora que Tagarela havia descrito a cena de maneira tão gráfica, os animais pareciam realmente se lembrar daquilo. Em todo caso, eles se lembraram de que, no momento crítico da batalha, Bola-de-Neve tinha dado as costas para fugir. Samba-Canção, porém, continuava um pouco inquieto.

– Não acredito que o Bola-de-Neve era um traidor desde o início – disse ele, finalmente. – O que ele fez desde então é diferente. Mas acredito que, na Batalha do Estábulo, ele foi um bom camarada.

– O nosso Líder, Camarada Napoleão – anunciou Tagarela, falando de maneira bastante lenta e firme –, afirmou categoricamente... categoricamente, camarada... que o Bola-de-Neve era um agente do Jones desde o princípio. Sim, e muito antes de a Rebelião sequer ser imaginada.

– Ah, isso é diferente! – disse Samba-Canção. – Se o Camarada Napoleão diz isso, deve ser verdade.

– Eis o verdadeiro espírito da coisa, camarada! – gritou Tagarela, mas notou-se que ele lançou um olhar bem feio para Samba-Canção com seus olhinhos cintilantes. Tagarela se virou para ir embora e então, após uma pausa, acrescentou de modo impressionante: – Alerto todo e qualquer animal desta fazenda a manter os olhos bem abertos, pois temos motivos para pensar que alguns dos agentes secretos do Bola-de-Neve estão à espreita entre nós neste exato momento!

Quatro dias depois, no fim da tarde, Napoleão ordenou que os animais se reunissem no pátio. Quando estavam todos reunidos, Napoleão surgiu da sede da fazenda, usando ambas as suas medalhas (pois ele tinha recentemente concedido a si mesmo a condecoração de "Herói Animal de Primeira Classe" e "Herói Animal de Segunda Classe"), com os nove cães imensos saltando em volta dele e soltando uivos que causavam arrepios na espinha dos demais. Todos se curvaram silenciosamente no local onde estavam, parecendo saber de antemão que algo terrível estava prestes a acontecer.

Napoleão se colocou inspecionando o público severamente; em seguida, soltou um ganido agudo. Os cães imediatamente saltaram para a frente, pegaram quatro dos porcos pela orelha e os arrastaram, sob guinchos de dor e terror, aos pés de Napoleão. As orelhas dos porcos sangravam, os cães tinham provado o sangue e, por alguns momentos, pareciam ter ficado um tanto ensandecidos. Para espanto geral, três deles se lançaram sobre Samba-Canção, que os viu se aproximar e estendeu o grande casco, apanhando um dos cães no ar e segurando-o preso ao chão. Enquanto o cão gritava por clemência, os outros dois fugiram com o rabo entre as pernas. Samba-Canção olhou para Napoleão para saber se devia esmagar o cão até a morte ou deixá-lo partir. Napoleão pareceu mudar de fisionomia e ordenou subitamente que Samba-Canção soltasse o cachorro; o cavalo ergueu o casco e o cão se esgueirou para longe, ferido e uivando.

Logo o tumulto tinha se acalmado. Os quatro porcos esperavam trêmulos, como se a culpa estivesse escrita em cada traço do semblante deles. Então Napoleão convocou-os a confessar seus crimes. Eram os mesmos quatro porcos que tinham protestado quando Napoleão aboliu as Reuniões de domingo. Sem nenhuma deixa a mais, eles confessaram que mantinham secretamente contato com Bola-de-Neve desde a sua expulsão, que haviam colaborado com ele na destruição do moinho e feito um acordo com ele para entregar a fazenda ao sr. Frederick. Acrescentaram que Bola-de-Neve tinha admitido a eles, em particular, que agira como agente secreto de Jones nos anos passados. Quando terminaram a confissão, os cães prontamente lhes rasgaram a garganta e, com uma voz terrível, Napoleão perguntou se algum outro animal tinha alguma coisa a confessar.

As três galinhas que encabeçaram a tentativa de rebelião com a história dos ovos vieram então adiante e afirmaram que Bola-de-Neve lhes surgira em sonho, incitando-as a desobedecer às ordens de Napoleão. Também foram massacradas. Em seguida, um ganso deu um passo à frente e confessou ter escondido seis espigas de milho durante a colheita do último ano, comendo-as à noite. Então uma ovelha confessou ter urinado no reservatório de água – instada a fazê-lo, segundo ela, por Bola-de-Neve – e duas outras ovelhas confessaram ter assassinado um velho carneiro, um seguidor especialmente devoto de Napoleão, fazendo-o correr sem parar em volta de uma fogueira quando ele estava sofrendo de tosse. Todos foram assassinados ali mesmo. E assim a história de confissões e execuções prosseguiu, até formar uma pilha de cadáveres aos pés de Napoleão e o cheiro de sangue impregnar o ar, algo de que não se tinha notícia desde a expulsão de Jones.

Quando tudo acabou, os animais restantes, exceto os porcos e cães, se arrastaram para fora dali em conjunto. Estavam abalados e infelizes. Não sabiam o que era mais chocante – a traição dos animais que haviam se mancomunado com Bola-de-Neve ou a cruel retribuição que tinham acabado de testemunhar. Nos velhos tempos, cenas de carnificina igualmente terríveis eram frequentes, mas lhes parecia muito pior agora que aconteciam entre eles próprios. Desde que Jones deixara a fazenda, nenhum animal tinha matado outro animal. Nem mesmo um rato sequer fora morto. Eles seguiram até a pequena colina onde estava o moinho construído pela metade e, todos juntos, se deitaram como se estivessem se aconchegando em busca de afeição – Trevo, Muriel, Benjamin, as vacas, as ovelhas e todo um bando de gansos e galinhas; todo mundo mesmo, exceto a gata, que tinha desaparecido repentinamente logo antes de Napoleão ordenar aos animais que se reunissem. Por algum tempo, ninguém disse nada. Apenas Samba-Canção permaneceu de pé, indo para lá e para cá, batendo o longo rabo preto em suas ancas e eventualmente soltando um pequeno relincho de surpresa. Por fim, ele disse:

– Eu não entendo isso. Não consigo acreditar que coisas assim possam acontecer na nossa fazenda. Deve ser por causa de alguma falha nossa. A solução, pelo que vejo, é trabalhar ainda mais. De agora em diante, vou acordar uma hora inteira mais cedo todas as manhãs.

E foi embora com seu trote pesado na direção da pedreira. Chegando lá, coletou duas cargas de pedras na sequência, arrastando-as até o moinho antes de se retirar para dormir.

Os animais se aninharam em volta de Trevo, sem dizer nada. A colina onde estavam deitados lhes dava uma visão ampla da zona rural. Boa parte da Fazenda dos Bichos se espraiava diante deles – o grande pasto que ia até a estrada principal, o campo de feno, o bosque, o reservatório de água, os campos arados onde o trigo novo era espesso e verde, e os telhados das construções da fazenda em que a fumaça subia volteante das chaminés. Era uma noite límpida de primavera. Os raios de sol horizontais douravam a grama e as vigorosas cercas vivas. Nunca aquela fazenda – e, com certa surpresa, eles se lembraram de que era a fazenda deles, cada centímetro daquilo lhes pertencia – pareceu aos animais um lugar tão desejável. Enquanto Trevo olhava colina abaixo, seus olhos se encheram de lágrimas. Se ela pudesse dar voz a seus pensamentos, seria para dizer que aquilo não era o que tinham pretendido quando, anos atrás, resolveram trabalhar para derrubar a raça humana. As cenas de terror e de chacina não eram o que esperaram naquela noite em que o velho Major os incitou pela primeira vez à rebelião. Se ela mesma tivesse acesso a algum retrato do futuro, seria o de uma sociedade de animais libertos da fome e do chicote, todos iguais, cada um trabalhando de acordo com a própria capacidade, os mais fortes protegendo os fracos, assim como ela tinha protegido a ninhada de patinhos perdidos com a pata dianteira na noite do discurso do Major. Em vez disso – ela não sabia por quê –, haviam chegado a um tempo em que ninguém ousava dizer o que pensava, em que cães ferozes rosnavam e vagavam por toda parte, e em que você tinha que ver seus camaradas serem rasgados em pedacinhos depois de confessarem crimes chocantes. Não havia nenhum pensamento de rebelião ou desobediência em sua mente. Ela sabia que, mesmo daquele jeito, os bichos estavam muito melhores do que na época do Jones e que, antes de tudo, deveriam impedir o retorno dos seres humanos. O que quer que acontecesse, ela permaneceria fiel, trabalharia duro, cumpriria as ordens que lhe eram dadas e aceitaria a liderança de Napoleão. Mas, mesmo assim, não era por isso que ela e todos os outros animais haviam esperado e trabalhado duro. Não era por isso que eles tinham construído o moinho de vento e enfrentado as balas da arma de Jones. Esses eram os pensamentos dela, embora lhe faltassem palavras para expressá-los.

Por fim, sentindo que seria de alguma maneira um substituto para as palavras que não conseguia encontrar, Trevo começou a cantar "Bichos da Inglaterra". Os outros animais em volta dela aderiram e cantaram a canção três vezes seguidas – bem afinados, mas lenta e pesarosamente, de um jeito que nunca tinham cantado antes.

Eles haviam acabado de cantar pela terceira vez quando Tagarela, acompanhado de dois cães, se aproximou com ar de quem tem algo importante a dizer. Ele anunciou que, por um decreto especial do Camarada Napoleão, "Bichos da Inglaterra" tinha sido abolida. Dali em diante, era proibido cantar a canção.

Os animais foram surpreendidos.

– Por quê? – gritou Muriel.

– Não é mais necessário, camarada – respondeu Tagarela severamente. – "Bichos da Inglaterra" era a canção da Rebelião. Mas a Rebelião está concluída. A execução dos traidores hoje à tarde foi o ato final. O inimigo, tanto externo quanto interno, foi derrotado. Em "Bichos da Inglaterra" nós manifestávamos nosso desejo por uma sociedade melhor. Mas essa sociedade agora está estabelecida. Claramente a canção não tem mais propósito algum.

Por mais assustados que estivessem, alguns animais possivelmente até teriam protestado, mas naquele momento as ovelhas se lançaram no balido habitual de "Quatro pernas bom, duas pernas ruim", que se estendeu por vários minutos e pôs fim à discussão.

Desse modo, nunca mais se ouviu "Bichos da Inglaterra". Em seu lugar, Minimus, o poeta, havia composto outra canção que começava assim:

Fazenda dos Bichos, Fazenda dos Bichos,
De minha parte jamais sofrerás nenhum suplício!

E ela era cantada todo domingo de manhã depois de içada a bandeira. Para os animais, porém, de alguma maneira, nem a letra nem a melodia chegavam à altura das de "Bichos da Inglaterra".

Alguns dias depois, acalmado o terror causado pelas execuções, alguns dos animais se lembraram – ou, pelo menos, pensaram se lembrar – de que o Sexto Mandamento decretava que "Nenhum animal deve matar outro animal". E apesar de ninguém se dar ao trabalho de mencionar isso na presença dos porcos e cães, eles sentiam que os assassinatos ocorridos não se enquadravam nessa regra. Trevo pediu a Benjamin que lesse o Sexto Mandamento e, quando Benjamin, como de costume, respondeu que se recusava a se intrometer nesses assuntos, ela foi atrás de Muriel, que leu o Mandamento para ela. Dizia: "Nenhum animal deve matar outro animal SEM CAUSA". De algum jeito, as últimas duas palavras tinham escapado da memória dos animais. Contudo, eles agora percebiam que o Mandamento não fora violado, pois havia claramente bons motivos para matar os traidores que se mancomunaram com Bola-de-Neve.

Ao longo do ano, os animais trabalharam ainda mais duro do que tinham trabalhado no ano anterior. Reconstruir o moinho com muros duas vezes mais largos do que antes e terminá-lo na data prevista, somado ao trabalho habitual na fazenda, revelou-se uma tremenda mão de obra. Havia vezes em que lhes parecia que estavam trabalhando por mais horas e que a comida não era nada melhor do que na época do Jones. Nas manhãs de domingo, Tagarela, segurando uma longa tira de papel com a pata, lia para eles em voz alta listas de números que provavam que a produção de todo tipo de gêneros alimentícios tinha aumentado em duzentos por cento, trezentos por cento ou quinhentos por cento, conforme o caso. Os animais não viam motivo para desacreditá-lo, mesmo porque não conseguiam se lembrar com muita clareza das condições de antes da Rebelião. Ainda assim, havia dias em que eles sentiam que logo teriam menos números e mais comida.

Todas as ordens agora eram transmitidas por meio de Tagarela ou de um dos outros porcos. Napoleão não era visto em público mais do que uma vez a cada quinzena. Quando aparecia, vinha acompanhado não só por seu séquito de cães, mas também por um galo preto que marchava à sua frente e agia como um trompetista, disparando um alto "cocoricó" antes de Napoleão tomar a palavra. Dizia-se que, mesmo na sede da fazenda, Napoleão morava em aposentos separados dos demais. Ele fazia as refeições sozinho, com dois cães esperando por ele, e sempre usava as louças da marca Crown Derby que ficavam na cristaleira na sala de estar. Também foi anunciado que a arma seria disparada todos os anos no aniversário de Napoleão, além dos dois outros aniversários de praxe.

Ninguém mais se referia a Napoleão apenas como "Napoleão". Agora, sempre se referiam a ele em estilo formal como "nosso Líder, Camarada Napoleão", e os porcos gostavam de lhe inventar títulos como Pai de Todos os Animais, Terror da Humanidade, Protetor do Redil, Amigo dos Patos e coisas assim. Em seus discursos, Tagarela falava com lágrimas escorrendo pelas bochechas sobre a sabedoria de Napoleão, a bondade de seu coração e o amor profundo que nutria por todos os animais de toda parte, até mesmo e especialmente aqueles infelizes que ainda viviam na ignorância e na escravidão em outras fazendas. Tornara-se habitual conferir a Napoleão o crédito por toda realização bem-sucedida e todo golpe de boa sorte. Ouvia-se com frequência uma galinha comentando com outra:

– Sob a orientação do nosso Líder, Camarada Napoleão, botei cinco ovos em seis dias.

Ou duas vacas, enquanto bebiam do reservatório, exclamando:

– Graças à liderança do Camarada Napoleão, que gosto excelente tem essa água!

O sentimento geral na fazenda era bem manifestado em um poema intitulado "Camarada Napoleão", composto por Minimus, e que dizia:

Dos sem pai és amigo!
Da felicidade és o motivo!
Senhor da lavagem aos baldes! Ai minh'alma
Se incendeia quando vejo,
Feito o sol no céu benfazejo,
Teu olhar calmo e capitão,
Camarada Napoleão!

És aquele que fornece
Aquilo que a tuas criaturas apetece:
Barriga cheia duas vezes ao dia, palha sem economia;
Grandes, médios ou pequenos
Todos os bichos dormem serenos,
Pois contam com a tua proteção,
Camarada Napoleão!

Mesmo ainda em amamentação,
Um pequenino e jovem leitão,
Do tamanho de uma garrafa ou de um rolo de macarrão,
Já deverá ter aprendido a lição
De por ti manter lealdade e retidão,
que seu primeiro guincho será então
"Camarada Napoleão!"

Napoleão aprovou o poema e ordenou que fosse inscrito na parede do grande celeiro, do lado oposto dos Sete Mandamentos. Acima dele, pairava um retrato de Napoleão de perfil, pintado por Tagarela com tinta branca.

Enquanto isso, por meio da influência de Lenga-Lenga, Napoleão se envolveu em negociações complicadas com Frederick e Pilkington. A pilha de madeira ainda não fora vendida. Dos dois, Frederick era o mais ansioso para adquiri-las, mas não oferecia um preço razoável. Ao mesmo tempo, circulavam novos rumores de que Frederick e seus homens tramavam atacar a Fazenda dos Bichos e destruir o moinho, cuja construção lhe despertara uma ciumeira furiosa. Falava-se que Bola-de-Neve continuava escondido na Fazenda Pinchfield. No meio do verão, os animais ficaram alarmados ao ouvir que três galinhas haviam se apresentado e confessado que, instigadas por Bola-de-Neve, tinham aderido a um plano para assassinar Napoleão. Elas foram executadas imediatamente e novas medidas foram adotadas para manter a segurança de Napoleão. Quatro cães guardavam sua cama à noite, um em cada canto, e um jovem porco chamado Conjuntivite recebeu a tarefa de provar antes tudo o que ele comia, caso a comida estivesse envenenada.

Por volta dessa época, foi anunciado que Napoleão tinha feito um acordo para vender a pilha de madeira ao sr. Pilkington; ele também estabeleceria um acordo permanente de troca de determinados produtos entre a Fazenda dos Bichos e a Foxwood. As relações entre Napoleão e Pilkington, embora conduzidas exclusivamente por Lenga-Lenga, tornaram-se quase amigáveis. Os animais desconfiavam de Pilkington porque ele era um ser humano, mas o preferiam bem mais a Frederick, a quem tanto temiam quanto odiavam. Conforme o verão avançava e o moinho se aproximava da conclusão, os rumores de um iminente ataque traiçoeiro foram ficando cada vez mais fortes. Dizia-se que Frederick pretendia levar vinte homens munidos de armas contra os animais e que até já havia subornado os magistrados e a polícia para que, depois de botar as mãos nos títulos e escrituras da Fazenda dos Bichos, não questionassem nada. Além disso, vazavam da Pinchfield histórias terríveis sobre as crueldades que Frederick praticava com os animais. Ele tinha chicoteado um velho cavalo até a morte, deixava as vacas passarem fome, matara um cachorro jogando-o na fornalha, divertia-se nas noites fazendo galos brigarem com estilhaços de lâminas de barbear amarradas em suas esporas. O sangue dos animais fervia de raiva ao ouvir que tais coisas estavam sendo feitas a seus camaradas e às vezes até protestavam para ter permissão de saírem em grupo para atacar a Fazenda Pinchfield. Tagarela, porém, aconselhou-os a evitar ações precipitadas e confiar na estratégia do Camarada Napoleão.

No entanto, os sentimentos contra Frederick continuavam a se intensificar. Numa manhã de domingo, Napoleão apareceu no celeiro e explicou que jamais cogitara vender a pilha de madeira a Frederick; segundo ele, estava abaixo da sua dignidade fazer negócios com patifes daquela espécie. Os pombos, que ainda eram enviados para espalhar as boas-novas da Rebelião, foram proibidos de colocar os pés na Foxwood e também receberam ordens de abandonar o antigo slogan "Morte à Humanidade" em favor de um "Morte a Frederick". No fim do verão, mais uma das maquinações de Bola-de-Neve foi revelada. A colheita de trigo estava cheia de ervas daninhas e descobriram que, em uma de suas visitas noturnas, Bola-de-Neve tinha misturado sementes de ervas daninhas com as sementes de milho. Um ganso macho que sabia do plano confessou sua culpa a Tagarela e cometeu suicídio imediatamente engolindo bagas mortíferas de beladona. Os animais também ficaram sabendo que Bola-de-Neve nunca tinha recebido a condecoração de "Herói Animal de Primeira Classe" – como muitos acreditavam até então. Isso não passava de uma lenda espalhada algum tempo depois da Batalha do Estábulo pelo próprio Bola-de-Neve. Longe de ser condecorado, ele havia sido censurado por demonstrar covardia na batalha. Uma vez mais alguns animais ouviram isso com certa perplexidade, mas Tagarela logo conseguiu convencê-los de que a memória é que andava lhes faltando.

No outono, com um esforço tremendo e exaustivo – pois a colheita teve que ser feita quase ao mesmo tempo – o moinho foi terminado. Restava instalar o maquinário, e Lenga-Lenga negociava essa compra, mas a estrutura estava concluída. Contra todas as dificuldades, a despeito da inexperiência, dos equipamentos primitivos, da má sorte e da traição de Bola-de-Neve, o trabalho tinha sido terminado pontualmente no dia exato! Esgotados, mas orgulhosos, os animais ficaram rodeando sua obra-prima, que parecia ainda mais bela aos olhos deles do que quando fora construída pela primeira vez. Além do mais, as paredes tinham o dobro da espessura das de antes. Apenas explosivos seriam capazes de derrubá-las desta vez! E quando pensaram no quanto haviam trabalhado, nos desencorajamentos superados e na enorme diferença que sentiriam em suas vidas quando as pás do moinho estivessem rodando e os geradores funcionando – ao pensarem em tudo isso, a canseira os deixava e eles se punham a dar cambalhotas em volta do moinho, dando gritos de triunfo. O próprio Napoleão, acompanhado dos cães e do galo, apareceu para inspecionar o trabalho concluído; ele parabenizou pessoalmente os animais pela realização e anunciou que o moinho se chamaria Moinho Napoleão.

Dois dias depois, todos os animais foram convocados para uma reunião especial no celeiro. Eles ficaram sem palavras, tamanha a surpresa ao ouvir Napoleão anunciar que tinha vendido a pilha de madeira para Frederick. No dia seguinte as carroças do homem viriam e começariam a retirar a carga. Durante todo o tempo de aparente amizade com

Pilkington, Napoleão estava, na verdade, fazendo um acordo secreto com Frederick.

Todas as relações com a Foxwood foram rompidas, e mensagens de insulto tinham sido enviadas a Pilkington. Foi dito aos pombos que evitassem a Fazenda Pinchfield e alterassem seu slogan de "Morte a Frederick" para "Morte a Pilkington". Ao mesmo tempo, Napoleão garantiu aos animais que as histórias de um ataque iminente à Fazenda dos Bichos eram completamente falsas e que as conversas sobre a crueldade de Frederick com os próprios animais haviam sido muitíssimo exageradas. Provavelmente, todos esses rumores tinham partido de Bola-de-Neve e seus agentes. Agora parecia que, no fim das contas, Bola-de-Neve não estava se escondendo na Fazenda Pinchfield e que, de fato, nunca tinha estado lá na vida. Ele vivia – com um luxo considerável, assim diziam – na Foxwood e, na realidade, era pensionista de Pilkington há anos.

Os porcos estavam extasiados com a esperteza de Napoleão. Fingindo ser amigável com Pilkington, ele forçou Frederick a aumentar seu preço em doze libras. Contudo, a qualidade superior da mente de Napoleão, dizia Tagarela, evidenciava-se pelo fato de ele não confiar em ninguém, nem mesmo em Frederick. Este quisera pagar pela madeira com algo chamado cheque, o que, aparentemente, era um pedaço de papel que trazia um compromisso de pagamento por escrito. Mas Napoleão era esperto demais e tinha exigido o pagamento em notas verdadeiras de cinco libras, que deveriam ser entregues antes da remoção da madeira. Frederick já tinha feito o pagamento, e a soma paga por ele era exatamente o necessário para comprar o maquinário do moinho.

Enquanto isso, a madeira era retirada em alta velocidade. Quando tudo tinha ido embora, outra reunião especial foi convocada no celeiro para que os animais inspecionassem as notas de Frederick. Com um sorriso bem-aventurado e usando ambas as condecorações, Napoleão repousava numa cama de palha sobre a plataforma, com o dinheiro ao seu lado, habilmente empilhado em uma bandeja de porcelana da cozinha da sede da fazenda. Os animais passaram lentamente em fila, cada um de olho no próprio quinhão. Samba--Canção até esticou o focinho para farejar as notas de dinheiro e aquelas coisinhas brancas e delicadas se sacudiram e farfalharam com a sua respiração.

Três dias depois houve um terrível rebuliço. Lenga-Lenga, completamente pálido, surgiu correndo pela entrada da fazenda em sua bicicleta, lançou-a no pátio e disparou direto para a casa sede. No instante seguinte, um rugido sufocado ecoou dos aposentos de Napoleão. A notícia do que tinha acontecido se espalhou pela fazenda tão rápido quanto fogo na floresta. As notas de dinheiro eram falsificadas! Frederick tinha adquirido a madeira por nada!

Napoleão imediatamente convocou os animais e, com uma voz terrível, pronunciou a sentença de morte de Frederick.

– Quando for capturado – disse ele –, Frederick deve ser cozido vivo.

Ao mesmo tempo, ele os alertou que, depois desse acordo traiçoeiro, deveriam esperar pelo pior. A qualquer momento, Frederick e seus homens podiam fazer o tão temido ataque. Sentinelas foram colocados em todas as entradas da fazenda. Além disso, quatro pombos foram enviados a Foxwood com uma mensagem conciliatória, o que se esperava ser capaz de restabelecer as boas relações com Pilkington.

O ataque veio na manhã seguinte. Os animais estavam tomando o café quando os vigias vieram correndo com a notícia de que Frederick e seus seguidores já haviam atravessado a porteira. Com bastante audácia, os animais arrancaram ao encontro deles, mas desta vez não tiveram a vitória fácil como na Batalha do Estábulo. Havia quinze homens portando meia dúzia de armas, e eles abriram fogo tão logo chegaram a quarenta metros de distância. Os animais não conseguiram encarar as terríveis explosões e as contundentes balas e, apesar dos esforços de Napoleão e Samba-Canção para reuni-los, não tardaram a se retrair. Vários já estavam feridos. Eles se abrigaram nas construções da fazenda e espiavam cuidadosamente lá fora através de rachaduras e buracos na madeira. O grande pasto, incluindo o moinho, estava nas mãos do inimigo. Naquele momento, até mesmo Napoleão parecia atrapalhado. Andava para cima e para baixo sem dizer nada, com o rabo rígido e que não parava de chacoalhar. Olhares melancólicos eram lançados na direção de Foxwood. Se Pilkington e seus homens os ajudassem, eles ainda podiam levar a melhor. No mesmo instante, porém, os quatro pombos que tinham sido enviados na véspera retornaram, um deles trazendo um pedaço de papel enviado por Pilkington, no qual se liam as seguintes palavras: "Bem feito para vocês".

Enquanto isso, Frederick e seus homens tinham parado nas imediações do moinho. Os animais ficaram assistindo, e um murmúrio de consternação se espalhou entre eles. Dois dos homens haviam exibido um pé de cabra e uma marreta. Iam derrubar o moinho.

– Impossível! – gritou Napoleão. – As paredes que construímos são grossas demais. Eles não poderiam derrubá-las nem em uma semana. Coragem, camaradas!

Mas Benjamin acompanhava os movimentos dos homens atentamente. Os dois com o pé de cabra e a marreta faziam um buraco perto da base do moinho. Lentamente, e com um ar quase de diversão, Benjamin acenou com seu longo focinho.

– Era bem o que eu pensava – disse ele. – Vocês não querem ver o que eles estão fazendo? Daqui a pouco vão encher aquele buraco de pólvora.

Aterrorizados, os animais esperaram. Agora era impossível se arriscar do lado de fora do abrigo das construções. Após alguns minutos, os homens foram vistos correndo em todas as direções. Em seguida, ouviu-se um bramido ensurdecedor. Os pombos rodopiaram nos ares e todos os animais, exceto Napoleão, se lançaram de bruços escondendo o rosto. Quando tornaram a se levantar, uma nuvem imensa de fumaça preta pairava no local do moinho. Lentamente, a brisa dispersou a fumaça. O moinho tinha deixado de existir!

Ao ver aquela cena, os animais recobraram a coragem. O medo e o desespero que tinham sentido alguns momentos antes foram varridos pela raiva desencadeada por esse ato repugnante e desprezível. Um poderoso grito de vingança irrompeu e, sem esperar por mais ordens, eles investiram rumo ao inimigo. Desta vez, nem prestaram atenção nas cruéis balas que passavam ventando sobre eles feito granizo. Era uma batalha selvagem e implacável. Os homens disparavam sem parar e, quando os animais se aproximaram, eles revidaram com porretes e botas pesadas. Uma vaca, três ovelhas e dois gansos foram mortos e quase todo mundo saiu ferido. Até mesmo Napoleão, que comandava as operações da retaguarda, teve a ponta do rabo atingida de raspão por uma bala. Mas os homens também não saíram ilesos. Três deles ficaram com a cabeça quebrada com os golpes dos cascos de Samba-Canção; outro tinha sido chifrado na barriga por uma vaca; outro ainda teve as calças quase rasgadas por Jessie e Campainha. E quando os nove cães da guarda pessoal de Napoleão, que ele instruíra a fazer um desvio camuflados pela cerca viva, apareceram de repente ao lado dos homens uivando ferozmente, o pânico tomou conta deles. Perceberam o perigo de serem cercados. Frederick gritou para seus homens saírem dali enquanto ainda pudessem e, no instante seguinte, o inimigo acovardado fugia para salvar sua tão prezada vida. Os animais os perseguiram até o fim do campo e ainda conseguiram lhes dar uns últimos chutes enquanto eles forçavam passagem pela cerca viva de espinhos.

Os animais tinham vencido, mas estavam esgotados e sangrando. Lentamente começaram a mancar de volta em direção à fazenda. A visão dos camaradas mortos esticados na grama levou alguns deles às lágrimas. E por um breve momento detiveram-se num silêncio pesaroso no local onde antes havia o moinho. Sim, ele tinha desaparecido; quase todo o trabalho deles havia sumido! Até mesmo as fundações estavam parcialmente destruídas. E, desta vez, para reconstruí-lo, não podiam usar as pedras caídas. Agora as pedras também tinham desaparecido. A força da explosão as lançara a centenas de metros de distância. Era como se o moinho de vento nunca tivesse existido.

Conforme os animais se aproximavam da fazenda, Tagarela, que inexplicavelmente se ausentara durante a disputa, veio saltitando na direção deles, sacudindo o rabo e radiante de satisfação. Então os animais ouviram, vindo da direção das construções da fazenda, uma arma ser disparada com solenidade.

– Para que são esses disparos? – perguntou Samba-Canção.

– Para celebrar a nossa vitória! – gritou Tagarela.

– Que vitória? – disse Samba-Canção; seus joelhos estavam sangrando, ele tinha perdido uma ferradura e partido seu casco, além de haver uma dúzia de balas alojadas em sua perna traseira.

– Que vitória, camarada? Não afugentamos o inimigo do nosso solo, o solo sagrado da Fazenda dos Bichos?

– Mas eles destruíram o moinho. E trabalhamos nele por dois anos!

– O que importa? Vamos construir outro moinho. E podemos construir seis moinhos se quisermos. Você não valoriza, camarada, a coisa poderosa que fizemos. O inimigo estava ocupando este mesmo solo onde agora pisamos. E, graças à liderança do Camarada Napoleão, cada centímetro deste chão foi reconquistado por nós!

– Então, reconquistamos aquilo que já tínhamos antes – disse Samba-Canção.

– Esta é a nossa vitória – afirmou Tagarela.

Eles foram mancando até o pátio. As balas na perna de Samba-Canção ardiam dolorosamente. Ele via diante de si todo o trabalho pesado de reconstruir o moinho desde as fundações, e já se imaginava preparando-se para a tarefa. No entanto, pela primeira vez lhe ocorreu que ele tinha onze anos de idade e que talvez seus grandes músculos já não fossem mais os mesmos de antes.

Mas, quando os animais viram a bandeira verde tremulando, ouviram a arma ser disparada novamente – foram sete disparos ao todo – e acompanharam o discurso de Napoleão, parabenizando-os pela conduta, eles ficaram de fato com a impressão de que, no fim das contas, haviam obtido uma grande vitória. Os animais massacrados na batalha tiveram um funeral solene. Samba-Canção e Trevo puxaram a carroça que serviu de carro funerário, e o próprio Napoleão liderou a procissão. Dois dias inteiros foram dedicados às celebrações. Houve canções, discursos e mais disparos de arma, além de uma maçã concedida como presente especial para cada animal, com cinquenta gramas de milho para cada pássaro e três biscoitos para cada cachorro. Foi anunciado que a batalha seria chamada de Batalha do Moinho e que Napoleão tinha criado uma nova condecoração, a "Ordem da Bandeira Verde", que ele concedeu a si mesmo. Em meio às comemorações gerais, o lamentável episódio das notas de dinheiro foi esquecido.

Alguns dias depois, os porcos se depararam com uma caixa de uísque nos porões da sede da fazenda, a qual passara desapercebida na época da ocupação. Naquela noite, ouviu-se o som de um canto animado vindo da sede da fazenda, em meio ao qual, para surpresa geral, havia a melodia de "Bichos da Inglaterra". Por volta de nove e meia, Napoleão, usando um velho chapéu-coco do sr. Jones, foi visto distintamente saindo pela porta dos fundos, dando uma volta rápida a galope pelo pátio e desaparecendo ao entrar pela porta outra vez. Mas pela manhã um silêncio profundo pairava sobre a sede da fazenda. Nenhum só porco parecia se mexer. Eram quase nove da manhã quando Tagarela apareceu, andando de maneira lenta e abatida, os olhos embotados e o rabo frouxo dependurado atrás de si, com toda cara de estar gravemente doente. Ele convocou os animais e lhes disse que tinha uma notícia terrível a comunicar. O Camarada Napoleão estava morrendo!

Ouviu-se um grito de lamentação. Colocaram palha na frente da porta da sede da fazenda e os animais andavam na ponta dos pés. Com lágrimas nos olhos, perguntavam entre si o que deveriam fazer se o Líder lhes fosse tirado. Circulou até um rumor de que, no fim das contas, Bola-de-Neve tinha dado um jeito de colocar veneno na comida de Napoleão. Às onze horas, Tagarela saiu para fazer outro anúncio. Como último ato sobre esta terra, o Camarada Napoleão havia pronunciado um decreto solene: o consumo de álcool seria punido com morte.

À noite, no entanto, Napoleão parecia um pouco melhor e, na manhã seguinte, Tagarela pôde anunciar que sua recuperação trilhava um bom caminho. Na noite daquele mesmo dia, Napoleão estava de volta ao trabalho e, no dia seguinte, soube-se que ele tinha instruído Lenga-Lenga a comprar em Willingdon alguns manuais sobre produção de cerveja e destilaria. Uma semana depois, Napoleão ordenou que o pequeno pasto atrás do pomar, destinado previamente à pastagem de animais que não podiam mais trabalhar, seria arado. Alegou-se que o pasto estava exaurido e precisava ser semeado novamente; mas os animais logo ficaram sabendo que Napoleão pretendia semeá-lo com cevada.

Nessa mesma época, ocorreu um estranho incidente que quase ninguém conseguiu entender. Certa noite, por volta da meia-noite, houve um grande estrondo no pátio e os animais saíram correndo de seus estábulos. Era uma noite de luar. Ao pé da parede dos fundos do grande celeiro, na qual estavam escritos os Sete Mandamentos, havia uma escada quebrada em dois pedaços. Tagarela, temporariamente desorientado, encontrava-se espatifado ao lado dela e, ao alcance da mão, havia uma lanterna, um pincel e um pote de tinta branca derramado. Imediatamente, os cachorros fizeram um círculo ao redor de Tagarela e o acompanharam de volta até a sede da fazenda assim que ele pôde andar. Nenhum dos animais conseguia entender o significado daquilo, exceto o velho Benjamin, que balançou o focinho com um ar astuto e parecia entender a situação, mas não disse nada.

Porém, alguns dias depois, Muriel, ao reler os Sete Mandamentos para si mesma, notou que havia outra regra da qual os animais não se lembravam direito. Eles tinham pensado que o Quinto Mandamento dizia "Nenhum animal deve beber álcool", mas haviam se esquecido de duas palavras. Na verdade, o Mandamento dizia: "Nenhum animal deve beber álcool em excesso".

9

O casco partido de Samba-Canção levou muito tempo para se recuperar. Eles tinham começado a reconstruir o moinho um dia depois de terminadas as celebrações da vitória. Samba-Canção se recusou a tirar um dia sequer de folga e, para ele, tornou-se uma questão de honra que ninguém percebesse sua dor. À noite, ele admitia em privado para Trevo que o casco o incomodava bastante. Trevo tratava-o com cataplasmas de ervas que ela mastigava para preparar, e tanto ela quanto Benjamin instavam Samba-Canção a trabalhar menos.

– Pulmão de cavalo não dura para sempre – ela dizia.

Samba-Canção, porém, não lhe dava ouvidos. Dizia ter uma única verdadeira ambição a cumprir: ver o moinho bastante avançado antes que atingisse a idade de se aposentar.

No início, quando as leis da Fazenda dos Bichos foram formuladas, a idade de aposentadoria tinha sido estabelecida em doze anos para os cavalos e porcos, catorze para as vacas, nove para os cães, sete para as ovelhas e cinco para galinhas e gansos. Também foram determinadas pensões liberais para os idosos. Até então, nenhum animal se aposentara de fato com pensão, mas o assunto vinha sendo discutido cada vez mais. Agora que o pequeno campo atrás do pomar tinha sido destinado à cevada, corriam rumores de que um canto do grande pasto seria cercado e transformado em pastagem para animais de idade avançada. Para um cavalo, diziam, a pensão seria de dois quilos e meio de milho por dia e, no inverno, sete quilos de feno, com direito a uma cenoura ou possivelmente uma maçã em feriados públicos. O décimo segundo aniversário de Samba-Canção ocorreria no final do verão do ano seguinte.

Enquanto isso, a vida continuava dura. O inverno atual estava tão frio quanto o anterior, e a comida, ainda mais escassa. Novamente todas as rações foram reduzidas, exceto as dos porcos e dos cachorros. Segundo Tagarela, a igualdade muito estrita de rações seria contrária aos princípios do Animalismo. De todo modo, ele não tinha nenhuma dificuldade em provar aos outros animais que, na realidade, NÃO havia pouca comida, independentemente das aparências. No momento, de fato, havia sido necessário fazer um reajuste das rações (Tagarela sempre falava a respeito como um "reajuste", nunca como uma "redução"), mas, em comparação com a época do Jones, a melhora era enorme. Ao ler os números em voz alta, estridente e rápida, provou-lhes detalhadamente que tinham mais aveia, mais feno e mais nabo do que no tempo do Jones; que eles trabalhavam menos horas, que a água potável era de melhor qualidade, que eles viviam mais, que uma proporção maior dos animais jovens sobrevivia à infância e que eles tinham mais palha nos estábulos e sofriam menos com pulgas. Os animais acreditavam em cada palavra. Verdade seja dita, Jones e tudo o que ele representava tinham quase desaparecido da memória deles. Sabiam que a vida atualmente era difícil e simples, que estavam quase sempre com fome e com frio e que, quando não estavam dormindo, em geral estavam trabalhando. Mas, sem dúvida, era pior antigamente. Sentiam-se satisfeitos de acreditar nisso. Além do mais, naqueles tempos eles tinham sido escravos e agora eram livres, e isso, como Tagarela sempre apontava, fazia toda a diferença.

Havia muitas bocas a mais para alimentar agora. No outono, as quatro porcas deram cria quase simultaneamente, produzindo um total de trinta e um porquinhos. Como os porquinhos eram malhados e, como Napoleão era o único reprodutor da fazenda, dava para adivinhar o parentesco deles. Foi anunciado que, mais para a frente, quando comprassem tijolos e madeira, uma sala de aula seria construída no jardim da sede da fazenda. Por enquanto, os porquinhos eram instruídos pelo próprio Napoleão na cozinha da sede. Eles faziam os exercícios no jardim e eram desencorajados a brincar com os outros jovens animais. Nessa mesma época também se estabeleceu a regra de que, quando um porco e qualquer outro animal cruzassem seus caminhos, o outro animal devia lhe dar passagem, e também que, aos domingos, porcos de qualquer nível teriam o privilégio de usar fitas verdes no rabo.

A fazenda tinha tido um ano relativamente bem-sucedido, mas ainda faltava dinheiro. Precisavam comprar tijolos, areia e cal para a sala de aula e deviam começar a economizar de novo para o maquinário do moinho. Tinha também óleo de lamparina e velas para a casa, açúcar para a mesa do próprio Napoleão (proibido aos outros porcos, sob a desculpa de que os engordava) e todas as reposições habituais de ferramentas, pregos, fios, carvão, arame, sucata de ferro e biscoitos para cães. Uma pilha de feno e parte da colheita de batata foram vendidas e o contrato de ovos tinha sido aumentado para seiscentos por semana, de modo que, naquele ano, as galinhas mal conseguiram criar pintinhos suficientes para manter seus números no mesmo nível. As rações, reduzidas em dezembro, sofreram outra redução em fevereiro, e lanternas foram proibidas nos estábulos para economizar óleo. Mas os porcos pareciam bastante confortáveis e, ao contrário dos demais, estavam na verdade ganhando peso. Certa tarde no fim de fevereiro, um aroma quente, rico e apetitoso, do tipo que os animais nunca tinham sentido antes, atravessou o pátio vindo da casa de fermentação, que estivera em desuso na época de Jones e ficava logo acima da cozinha. Alguém disse que era o cheiro de cevada cozida. Os animais farejaram o ar esfomeados e se perguntaram se não seria uma mistura quentinha sendo preparada para o jantar. Mas não houve qualquer mistura quentinha e, no domingo seguinte, foi anunciado que, dali em diante, toda a cevada seria reservada aos porcos. O campo atrás do pomar já tinha sido semeado com cevada. E não demorou a vazar a notícia de que agora todo porco recebia uma ração de meio litro de cerveja diariamente, sendo dois litros para o próprio Napoleão, sempre servidos a ele na sopeira Crown Derby.

    No entanto, se havia dificuldades a serem superadas, elas eram parcialmente aplacadas pelo fato de a vida hoje em dia ser muito mais digna do que antes. Havia mais canções, mais discursos, mais procissões. Napoleão ordenara que, uma vez por semana, ocorreria algo chamado de Manifestação Espontânea, cujo objetivo era celebrar as lutas e os triunfos da Fazenda dos Bichos. No horário indicado, os animais deixavam o trabalho e marchavam ao redor dos recintos da fazenda em formação militar liderada pelos porcos, seguidos dos cavalos, das vacas, das ovelhas e das aves. Os cachorros ladeavam a procissão e, na frente de todos, marchava o galo preto de Napoleão. Samba-Canção e Trevo sempre carregavam entre si uma faixa que trazia estampados o casco e o chifre junto com a legenda "Vida longa ao Camarada Napoleão!". Depois, acontecia a leitura de poemas compostos em honra a Napoleão e um discurso do Tagarela com os detalhes dos aumentos mais recentes na produção de gêneros alimentícios e, ocasionalmente, um tiro de arma era disparado. As ovelhas eram as maiores devotas da Manifestação Espontânea e, se alguém reclamasse (alguns animais às vezes o faziam, quando não havia nenhum porco ou cachorro por perto) que era um desperdício de tempo e representava um longo período sem fazer nada no frio, decerto as ovelhas logo o silenciariam com um balido insistente de "Quatro pernas bom, duas pernas ruim!". Mas, de modo geral, os animais apreciavam as celebrações. Achavam reconfortante serem lembrados de que, no fim das contas, eles eram verdadeiramente senhores de suas ações e o trabalho que faziam era em benefício próprio. A tal ponto que, com as músicas, as procissões, as listas de números do Tagarela, o disparar da arma, o cacarejo do galo e a tremulação da bandeira, conseguiam esquecer a barriga vazia, pelo menos em parte do tempo.

Em abril, a Fazenda dos Bichos foi proclamada uma República, e tornou-se necessário eleger um Presidente. Havia um único candidato, Napoleão, que foi eleito por unanimidade. No mesmo dia, informaram a descoberta de novos documentos revelando mais detalhes sobre a cumplicidade de Bola-de-Neve com Jones. Ao que tudo agora indicava, Bola-de-Neve não havia apenas tentado perder a Batalha do Estábulo por meio de um estratagema, como os animais pensavam anteriormente, e sim tinha lutado abertamente do lado de Jones. Na verdade, ele havia liderado as forças humanas e entrado em batalha bradando "Vida longa à humanidade!" com os próprios lábios. As feridas nas costas de Bola-de-Neve, das quais alguns animais ainda se lembravam, tinham sido infligidas pelos dentes de Napoleão.

No meio do verão, o corvo Moisés reapareceu de repente na fazenda, após uma ausência de vários anos. Não tinha mudado nada, continuava sem trabalhar e falava com a mesma insistência de sempre na Montanha Açucarada. Ele se empoleirava em algum toco, batia as asas pretas e falava sem parar para qualquer um que quisesse ouvir.

– Lá em cima, camaradas – dizia ele solenemente, apontando para o céu com o grande bico –, lá em cima, logo do outro lado dessa nuvem escura que estão vendo, é lá que fica a Montanha Açucarada, aquele país alegre aonde pobres animais vão para descansar para sempre da labuta!

Ele até alegava haver estado lá em um de seus voos mais altos e ter visto os campos perenes de trevo e bolo de linhaça e torrões de açúcar crescendo nas cercas vivas. Muitos dos animais acreditavam nele. Agora levavam uma vida esfomeada e laboriosa, concluíam eles; não era certo e justo que houvesse um mundo melhor em algum outro lugar? Algo difícil de entender era a atitude dos porcos em relação a Moisés: declaravam com desdém que aquelas histórias sobre a Montanha Açucarada não passavam de mentiras, mas, mesmo assim, permitiam que ele ficasse na fazenda sem trabalhar e com uma cota de um copo pequeno de cerveja por dia.

Depois que seu casco tinha sarado, Samba-Canção trabalhou mais duro do que nunca. De fato, todos os animais trabalharam feito escravos naquele ano. Além do trabalho habitual da fazenda e da reconstrução do moinho, tinha ainda a sala de aula para os porquinhos, iniciada em março. Às vezes, as longas jornadas de trabalho com comida insuficiente eram difíceis de aguentar, mas Samba-Canção nunca fraquejava. Nada do que dizia ou fazia mostrava o menor sinal de que sua força não era mais como antes. Somente sua aparência estava um pouco alterada; a pele era um tanto menos brilhante do que de costume, e as ancas pareciam ter encolhido.

– O Samba-Canção vai melhorar quando a grama da primavera chegar – diziam os outros.

No entanto, a primavera chegou e Samba-Canção não engordou absolutamente nada. De vez em quando, na ladeira que levava ao topo da colina, ao apoiar os músculos contra o peso de alguma rocha imensa, parecia que nada mais o mantinha de pé exceto a vontade de continuar. Em momentos assim, era possível ver seus lábios formando as palavras "Vou trabalhar mais ainda"; a voz, ele não tinha mais. De novo, Trevo e Benjamin o alertaram para que cuidasse da saúde, mas Samba-Canção não deu a mínima. Seu décimo segundo aniversário estava chegando. Ele não se importava com o que quer que acontecesse, desde que uma boa quantidade de pedra fosse acumulada antes que passasse a viver de pensão.

Certa noite de verão, bem tarde, circulou pela fazenda um boato de que algo tinha acontecido com Samba-Canção. Ele fora sozinho arrastar mais uma carga de pedra até o moinho. E, claro, o boato era verdade. Alguns minutos depois, dois pombos chegaram ventando com a notícia:

– O Samba-Canção caiu! Ele está deitado de lado e não consegue se levantar!

Cerca de metade dos animais da fazenda foi correndo para a colina onde ficava o moinho. Lá encontraram Samba-Canção entre os jugos da carroça, de pescoço esticado, sem conseguir nem erguer a cabeça. Os olhos estavam estupefatos, e as ancas, opacas de suor. Um filete de sangue escorria de sua boca. Trevo caiu de joelhos ao lado dele.

– Samba-Canção! – gritou ela. – Como você está?

– É o meu pulmão – disse Samba-Canção com a voz fraca. – Isso não importa. Acho que vocês conseguirão terminar o moinho sem mim. Há um bom suprimento de pedras acumulado. Eu só tinha mais um mês pela frente, de todo jeito. Para dizer a verdade, vinha aguardando ansiosamente pela minha aposentadoria. E talvez, como o Benjamin também está ficando velho, vão deixá-lo se aposentar ao mesmo tempo e ser meu companheiro.

– Temos que buscar ajuda imediatamente – disse Trevo. – Alguém vá correndo dizer ao Tagarela o que aconteceu.

Todos os animais voltaram correndo para a sede da fazenda a fim de dar a notícia a Tagarela. Apenas Trevo permaneceu junto com Benjamin, que se deitou ao lado de Samba-Canção e, sem dizer nada, afastava as moscas dele com a própria cauda. Passados cerca de quinze minutos Tagarela apareceu, cheio de simpatia e preocupação. Disse que o Camarada Napoleão ficara sabendo com o mais profundo pesar do infortúnio ocorrido a um dos trabalhadores mais leais da fazenda e já estava tomando providências para enviar Samba-Canção para ser tratado no hospital em Willingdon. Os animais ficaram um pouco incomodados com isso. Exceto por Mollie e Bola-de-Neve, nenhum outro animal jamais tinha deixado a fazenda, e não gostavam da ideia de pensar em seu camarada adoecido nas mãos de seres humanos. Todavia, Tagarela convenceu-os facilmente de que o cirurgião veterinário em Willingdon podia tratar o caso de Samba-Canção de maneira mais satisfatória do que seria possível na fazenda. E cerca de meia hora depois, quando tinha se recuperado um pouco, mesmo apresentando dificuldades para ficar de pé, Samba-Canção conseguiu ir mancando de volta para seu estábulo, onde Trevo e Benjamin haviam preparado uma bela cama de palha para ele.

Pelos dois dias seguintes, Samba-Canção permaneceu no estábulo. Os porcos tinham mandado um grande frasco de um medicamento cor-de-rosa encontrado na caixa de remédios no banheiro, e Trevo o medicava duas vezes ao dia depois das refeições. À noite, ela deitava em seu estábulo e conversava com ele, enquanto Benjamin mantinha as moscas longe. Samba-Canção professava não se arrepender do que tinha acontecido. Se tivesse uma boa recuperação, talvez ainda vivesse por mais três anos, e esperava ansiosamente pelos dias tranquilos que passaria no canto do grande pasto. Seria a primeira vez que desfrutaria de um tempo de lazer para estudar e aprimorar a mente. Ele dizia querer dedicar o resto da vida a aprender as vinte e duas letras restantes do alfabeto.

No entanto, Benjamin e Trevo só podiam ficar com Samba-Canção depois do expediente, e foi no meio do dia que veio um reboque para levá-lo embora. Os animais estavam trabalhando, capinando nabo sob supervisão de um porco, quando se surpreenderam ao ver Benjamin vindo da direção das construções da fazenda aos galopes, zurrando o mais alto que conseguia. Era a primeira vez que viam Benjamin agitado – na verdade, a primeira vez que alguém o via galopando.

– Rápido, rápido! – gritou ele. – Venham logo! Estão levando o Samba-Canção embora!

Sem esperar por ordens do porco, os animais interromperam o trabalho e voltaram em disparada para as construções da fazenda. Como era de se esperar, encontraram no pátio um grande reboque fechado puxado por dois cavalos, com alguns escritos na lateral e um homem de aparência dissimulada, com um chapéu-coco bem enfiado na cabeça, sentado no lugar do motorista. E o estábulo de Samba-Canção estava vazio.

Os animais se amontoaram em volta do veículo.

– Até mais, Samba-Canção! – diziam eles em coro. – Até mais!

– Idiotas! Idiotas! – gritou Benjamin, saltitando ao redor deles e batendo os pequenos cascos no chão. – Idiotas! Não veem o que está escrito na lateral dessa carroceria?

Aquilo fez os animais pararem e se calarem. Muriel começou a soletrar as palavras. Mas Benjamin colocou-a de lado e, envolvido naquele silêncio fatal, começou a ler:

– "Alfred Simmonds, abatedor de cavalos e fabricante de cola, Willingdon. Comerciante de peles e farinha de ossos. Fornecedor de canis." Vocês não entendem o que isso significa? Estão levando o Samba-Canção para o abatedouro!

Um grito de horror irrompeu dos animais. Nesse momento, o homem chicoteou os cavalos e o reboque começou a deixar o pátio num trote ligeiro. Todos os animais foram atrás, gritando o mais alto que podiam. Trevo abriu caminho à força até a dianteira. A carroça começou a ganhar velocidade. Trevo tentou acelerar o passo com seus membros corpulentos e conseguiu chegar a meio galope.

– Samba-Canção! – gritou ela. – Samba-Canção! Samba-Canção! Samba-Canção!

E bem nesse momento, embora tivesse ouvido o alvoroço do lado de fora, o rosto de Samba-Canção, com a faixa branca descendo-lhe pelo focinho, apareceu na janelinha traseira do reboque.

– Samba-Canção! – gritou Trevo com uma voz terrível. – Samba-Canção! Saia daí! Saia daí rápido! Estão levando você para a morte!

Todos os animais aderiram ao grito de "Saia daí, Samba-Canção, saia daí!", mas o reboque já ganhava velocidade e se afastava deles. Não era certeza que Samba-Canção tinha entendido o que Trevo dizia. No entanto, um momento depois, seu rosto sumiu da janela e ouviu-se um som tremendo de cascos batendo dentro do veículo. Ele estava tentando sair dali aos coices. Foi-se o tempo em que alguns coices de Samba-Canção teriam reduzido o reboque a pedacinhos. Infelizmente, sua força o havia deixado; e em alguns instantes o som dos cascos batendo foi diminuindo e sumiu. Desesperados, os animais começaram a insistir para que os dois cavalos que puxavam o reboque parassem.

– Camaradas, camaradas! – gritavam eles. – Não levem seu próprio irmão para a morte!

Mas aqueles brutos estúpidos, ignorantes demais para perceber o que estava acontecendo, apenas baixaram as orelhas e aceleraram o passo. O rosto de Samba-Canção não reapareceu na janela. Tarde demais, alguém pensou em se adiantar e fechar a porteira, mas no momento seguinte o reboque já a havia atravessado e ia sumindo rapidamente estrada abaixo. Samba-Canção nunca mais foi visto.

Três dias depois foi anunciado que ele havia morrido no hospital em Willingdon, apesar de ter recebido toda a atenção que um cavalo podia receber. Tagarela veio comunicar a notícia aos demais. Ele disse ter presenciado as últimas horas de Samba-Canção.

– Foi a imagem mais comovente que já vi! – afirmou Tagarela, levantando a pata e enxugando uma lágrima. – Fiquei ao seu lado no último momento. E, no fim, quase fraco demais para falar, ele sussurrou em minha orelha que seu único arrependimento era ir desta para melhor antes que o moinho fosse concluído. "Avante, camaradas!", sussurrou ele. "Avante em nome da Rebelião. Vida longa à Fazenda dos Bichos! Vida longa ao Camarada Napoleão! O Napoleão sempre tem razão." Essas foram suas últimas palavras, camaradas.

Então o comportamento de Tagarela mudou de repente. Ele ficou em silêncio por um momento com os olhinhos disparando olhares suspeitos de um lado ao outro antes de prosseguir.

Chegara a seu conhecimento, disse ele, que um boato ridículo e perverso havia circulado no momento da remoção de Samba-Canção. Alguns dos animais tinham notado que o reboque que levou Samba-Canção trazia escrito "Abatedor de cavalos" e logo deduziram que Samba-Canção estava sendo levado para o abate. Era quase inacreditável, disse Tagarela, que qualquer um dos animais pudesse ser tão estúpido. Com certeza, gritou ele indignado, sacudindo o rabo e saltitando de um lado ao outro, com certeza eles sabiam da esperteza de seu adorado Líder, o Camarada Napoleão! A explicação era mesmo muito simples. O reboque tinha sido propriedade do abatedouro e fora comprado pelo cirurgião veterinário, que ainda não havia pintado por cima do nome antigo. E assim que se deu a confusão.

Os animais ficaram imensamente aliviados ao ouvir isso. E quando Tagarela continuou com detalhes mais ilustrativos do leito de morte de Samba-Canção, do cuidado admirável que ele tinha recebido e dos medicamentos caros pelos quais Napoleão tinha pagado sem sequer pensar duas vezes no preço, suas últimas dúvidas desapareceram e o pesar que sentiam pela morte de seu camarada foi equilibrado pelo pensamento de que, pelo menos, ele tinha morrido feliz.

Na manhã de domingo seguinte, o próprio Napoleão apareceu na reunião e pronunciou uma breve oração em honra a Samba-Canção. Não fora possível, disse ele, trazer de volta os restos mortais do lamentado camarada para enterrá-los na fazenda, mas ele havia ordenado que uma grande coroa de flores fosse feita com os louros do jardim da sede da fazenda e enviada para ser colocada no túmulo de Samba--Canção. E, em alguns dias, os porcos pretendiam realizar um banquete em memória à honra de Samba-Canção. Napoleão encerrou o discurso relembrando as duas máximas favoritas de Samba-Canção: "Vou trabalhar mais ainda" e "O Camarada Napoleão sempre tem razão" máximas, disse ele, que todo animal deveria adotar para si.

No dia do banquete, uma caminhonete de mercearia vindo de Willingdon entregou um grande caixote de madeira na sede da fazenda. Naquela noite, ouviu-se o som de uma tumultuada cantoria, seguida de algo que soava como uma briga violenta, e que acabou por volta de onze da noite com o barulho de vidro quebrado. No dia seguinte, não houve qualquer movimento na sede da fazenda antes do meio-dia, e circulou o boato de que, de algum jeito, os porcos tinham conseguido dinheiro para comprar outra caixa de uísque.

Anos se passaram. As estações iam e vinham, a vida curta dos animais passara voando. Chegou uma época em que mais ninguém se lembrava dos velhos tempos antes da Rebelião, exceto Trevo, Benjamin, o corvo Moisés e alguns dos porcos.

Muriel tinha morrido; Campainha, Jessie e Beliscão tinham morrido. O Jones também tinha morrido – falecera

em um lar para alcoólatras do outro lado do país. Bola-de-
-Neve foi esquecido. Samba-Canção foi esquecido, exceto
pelos poucos que o tinham conhecido. Trevo era agora uma
velha égua corpulenta, de juntas endurecidas e olhos remelentos. Já passara dois anos da idade de aposentar, mas, na
verdade, nenhum animal jamais havia se aposentado. Toda a
conversa de separar um canto do pasto para animais de idade avançada tinha sido esquecida há tempos. Napoleão se
tornara um reprodutor maduro de dez arrobas. Tagarela era
tão gordo que tinha dificuldade em enxergar. Apenas o velho
Benjamin continuava mais ou menos o mesmo de sempre,
exceto pelo focinho um pouco mais grisalho e, desde a morte de Samba-Canção, por um temperamento mais sombrio e
taciturno do que nunca.

Havia muito mais criaturas na fazenda agora, embora o
aumento não fosse tão grande quanto se esperava nos anos
anteriores. Para muitos dos animais nascidos, a Rebelião era
apenas uma tradição longínqua, transmitida no boca a boca,
e outros, que foram comprados, nunca tinham ouvido falar
de algo assim antes de chegarem ali. Havia três cavalos na
fazenda além de Trevo. Eram bichos honestos e de bem, trabalhadores dispostos e bons camaradas, mas muito estúpidos. Nenhum deles se mostrou capaz de aprender o alfabeto
além da letra b. Aceitavam tudo o que lhes diziam sobre a
Rebelião e os princípios do Animalismo, especialmente vindo
de Trevo, a quem respeitavam como uma mãe, mas ficava a
dúvida se entendiam de fato tudo aquilo.

A fazenda era mais próspera atualmente, e estava mais
bem organizada: tinha até sido ampliada com a compra de
dois campos do sr. Pilkington. O moinho fora finalmente
concluído com sucesso, e a fazenda possuía um debulhador e
o próprio silo de feno, além de várias novas construções.

Lenga-Lenga tinha comprado uma carruagem para si. O moinho, no entanto, não era usado para gerar energia elétrica, mas para a moagem de milho, o que resultou em um belo lucro monetário. Os animais trabalhavam duro na construção de outro moinho; quando este fosse terminado, assim diziam, o gerador seria instalado. Mas os luxos com os quais Bola-de-Neve ensinara os animais a sonhar, os estábulos com luz elétrica e água quente e fria, a semana de trabalho de três dias, não eram mais mencionados. Napoleão denunciou tais ideias como contrárias aos princípios do Animalismo. A verdadeira alegria, segundo ele, estava em trabalhar duro e levar uma vida frugal.

De algum modo, parecia que a fazenda enriquecera sem tornar nenhum de seus animais mais rico – exceto, claro, os porcos e cães. Talvez isso se desse em parte porque tinha tantos porcos e tantos cães. Não era porque essas criaturas não trabalhavam da mesma maneira. Como Tagarela nunca se cansava de explicar, havia um trabalho interminável na supervisão e organização da fazenda, e os outros animais eram ignorantes demais para entender boa parte dele. Por exemplo, Tagarela lhes dizia que os porcos, todos os dias, tinham que dedicar muito trabalho a coisas misteriosas chamadas "arquivos", "relatórios", "minutas" e "memorandos". Consistiam em grandes folhas de papel que precisavam ser inteiramente preenchidas para, em seguida, serem queimadas na fornalha. Isso, segundo Tagarela, era da maior importância para o bem--estar da fazenda. Mas, ainda assim, nem os porcos nem os cães produziam alguma comida com o próprio trabalho, e eles eram muitos, com o apetite sempre em dia.

Quanto aos outros, até onde sabiam, a vida deles era como sempre tinha sido. Geralmente sentiam fome, dormiam sobre palha, bebiam do reservatório, trabalhavam nos campos; no inverno, sofriam com o frio, e no verão, com as moscas. Às vezes, os mais velhos forçavam a memória fraca para tentar lembrar se, no início da Rebelião, quando a expulsão de Jones ainda era recente, as coisas funcionavam melhor ou pior do que agora. Eles não conseguiam se lembrar. Não havia nada com que comparar a vida atual: não tinham nada a que recorrer além das listas de números do Tagarela, que invariavelmente demonstravam que tudo ficava cada vez melhor. Os animais achavam o problema insolúvel; seja como for, eles agora tinham pouco tempo para especular sobre essas coisas. Apenas o velho Benjamin afirmava se lembrar de cada detalhe de sua longa vida e saber que as coisas nunca tinham sido nem nunca poderiam ser muito melhores ou muito piores – fome, dificuldade e desapontamento compunham as leis inalteráveis da vida.

E, mesmo assim, os animais nunca perderam a esperança. Mais ainda, nunca perderam, por um instante sequer, seu senso de honra e privilégio por serem membros da Fazenda dos Bichos. Eles ainda eram a única fazenda de todo o condado – de toda a Inglaterra! – cuja propriedade e operação eram responsabilidade dos animais. Nenhum deles, nem mesmo os mais jovens, nem mesmo os novatos trazidos de fazendas a quinze ou trinta quilômetros dali, nunca deixaram de se impressionar com isso. E quando ouviam a arma disparando e viam a bandeira verde tremulando no mastro, um orgulho inextinguível lhes enchia o coração, e a conversa sempre tomava a direção dos dias heroicos do passado, da expulsão de Jones, da redação dos Sete Mandamentos, das grandes batalhas em que os invasores humanos haviam sido derrotados. Nenhum dos velhos sonhos tinha sido abandonado. A República dos Animais prevista por Major, quando os campos verdejantes da Inglaterra não seriam mais pisados por pés humanos, ainda fazia parte de suas crenças. Algum dia aquilo ia acontecer: talvez não fosse logo, talvez nem mesmo no tempo de vida de nenhum dos animais vivos, mas, ainda assim, estava a caminho. Até a melodia de "Bichos da Inglaterra" talvez ainda fosse cantarolada secretamente aqui e ali: de qualquer forma, era fato que todo animal da fazenda a conhecia, embora ninguém ousasse cantá-la em voz alta. Podia até ser que a vida deles fosse difícil e nem todas as esperanças tivessem se realizado, mas tinham consciência de que não eram como os outros animais. Se passavam fome, não era para alimentar seres humanos tirânicos; se trabalhavam duro, pelo menos trabalhavam em benefício próprio. Nenhuma criatura entre eles andava sobre duas pernas. Nenhuma criatura chamava outra de "Mestre". Todos os animais eram iguais.

Certo dia, no início do verão, Tagarela ordenou que as ovelhas o seguissem e levou-as a um terreno baldio do outro lado da fazenda, que havia sido tomado por brotos de bétulas. Elas passaram o dia por lá, comendo as folhas sob supervisão de Tagarela. À noite, ele voltou sozinho para a fazenda, pois, como o clima estava quente, dissera às ovelhas que ficassem por lá, o que acabou se estendendo por uma semana inteira, período em que os outros animais não viram nem rastro delas. Tagarela passava a maior parte dos dias com as ovelhas. Dizia estar ensinando-as a cantar uma nova canção e que, para tanto, precisava de privacidade.

Foi só depois que as ovelhas retornaram, numa noite agradável em que os animais haviam terminado o trabalho e estavam tomando o rumo de volta para as construções da fazenda, que se ouviu o relincho furioso de um cavalo vindo do pátio. Alarmados, os animais pararam onde estavam. Era a voz de Trevo. Ela relinchou novamente, e os animais dispararam pátio adentro. Então viram o que Trevo tinha visto.

Um porco andando sobre as patas traseiras.

Sim, era o Tagarela. Um pouco desajeitado, como quem não está muito acostumado a suportar seu volume considerável naquela posição, mas em perfeito equilíbrio, lá estava ele passeando pelo pátio. E, um instante depois, saiu pela porta da sede da fazenda uma longa fila de porcos, todos andando sobre as patas traseiras. Alguns o faziam melhor do que outros, um ou dois estavam até um pouco instáveis e davam a impressão de que gostariam de contar com o apoio de um bastão, mas cada um deles completou a volta pelo pátio com sucesso. Por fim, após um tremendo uivo dos cães e um cacarejo agudo do galo preto, Napoleão surgiu majestosamente na vertical, lançando olhares arrogantes de um lado ao outro, com os cães dando cambalhotas em volta dele.

Ele trazia um chicote na pata.

Fez-se um silêncio mortal. Impressionados, aterrorizados e se ajuntando, os animais acompanharam a longa fila de porcos marchando lentamente pelo pátio. Era como se o mundo tivesse virado de cabeça para baixo. Passado o choque inicial, os bichos, apesar de tudo – do pavor que sentiam dos cães e do hábito, desenvolvido ao longo dos anos, de nunca reclamar e nunca criticar, independentemente do que acontecesse –, devem ter manifestado algumas palavras em protesto. Mas justo naquele momento, como se tivessem recebido um sinal, todas as ovelhas irromperam num tremendo balido.

– Quatro pernas bom, duas pernas MELHOR! Quatro pernas bom, duas pernas MELHOR! Quatro pernas bom, duas pernas MELHOR!

Isso durou cinco minutos sem parar. E, no momento em que as ovelhas se calaram, a oportunidade de pronunciar qualquer protesto tinha passado, pois os porcos haviam marchado de volta para a sede da fazenda.

Benjamin sentiu um focinho se aconchegando em seu ombro. Ele olhou em volta. Era Trevo. Seus velhos olhos pareciam mais anuviados do que nunca. Sem dizer nada, ela puxou gentilmente a crina dele e o levou até o fundo do grande celeiro, onde estavam escritos os Sete Mandamentos. Por um ou dois minutos eles ficaram encarando a parede preenchida de letras brancas.

– Minha vista está falhando – disse ela, por fim. – Mesmo quando jovem, não conseguia ler o que estava escrito aqui. Mas tenho a impressão de que a parede está diferente. Os Sete Mandamentos continuam os mesmos de antes, Benjamin?

Pela primeira vez, Benjamin consentiu em quebrar sua regra e leu para ela em voz alta o que estava escrito na parede. Não havia nada mais ali, exceto um único Mandamento que dizia:

TODOS OS ANIMAIS SÃO IGUAIS
MAS ALGUNS ANIMAIS SÃO MAIS IGUAIS QUE OUTROS

Depois disso, não pareceu estranho quando, no dia seguinte, todos os porcos que supervisionavam o trabalho na fazenda andassem com chicotes nas patas. Não parecia estranho saber que os porcos tinham comprado um rádio sem fio, planejavam instalar um telefone e tinham feito assinaturas dos semanários *John Bull*, *Tit-Bits* e *Daily Mirror*. Não pareceu estranho quando viram Napoleão passeando pelo jardim da sede da fazenda com um cachimbo na boca – não, nem mesmo quando os porcos tiraram as roupas do sr. Jones dos armários e começaram a usá-las, com o próprio Napoleão surgindo de casaco preto, calças de caça e perneiras de couro, enquanto sua porca favorita exibia o vestido de seda que a sra. Jones costumava usar aos domingos.

Uma semana depois, durante a tarde, uma série de carruagens chegou à fazenda. Uma delegação de fazendeiros vizinhos tinha sido convidada para uma visita de inspeção. Toda a fazenda foi mostrada a eles, e houve grande admiração por tudo o que viam, especialmente o moinho. Os animais estavam capinando o campo de nabo. Trabalharam diligentemente, quase sem erguer a cabeça do chão e sem saber se deviam ficar mais assustados com os porcos ou com os visitantes humanos.

Naquela noite, ouviram-se muitas risadas e explosões de cantoria vindo da sede da fazenda. E de repente, ao ouvir aquelas vozes misturadas, a curiosidade tomou os animais. O que poderia estar acontecendo lá, agora que animais e seres humanos se encontravam pela primeira vez em pé de igualdade? De comum acordo, foram rastejando da maneira mais silenciosa possível até o jardim da sede da fazenda.

No portão, pararam meio assustados hesitando seguir em frente, mas Trevo liderou o caminho. Andaram na ponta dos pés até a casa, e os animais mais altos espiaram pela janela da sala de jantar. Ali, em volta da grande mesa, estavam sentados uma dúzia de fazendeiros e meia dúzia dos porcos mais eminentes, com o próprio Napoleão ocupando o lugar de honra na ponta da mesa. Os porcos pareciam completamente à vontade em suas cadeiras. O grupo se divertia com um jogo de cartas, mas tinha parado por um instante, obviamente para fazer um brinde. Um jarro grande circulava e as canecas eram reabastecidas de cerveja. Ninguém notou as caras impressionadas dos animais observando pela janela.

O sr. Pilkington, da Foxwood, tinha se colocado de pé com a caneca na mão. Em um instante, disse ele, pediria um brinde aos presentes. Mas, antes de fazer isso, sentia-se incumbido de dizer algumas palavras.

Ele dizia ser fonte de grande satisfação para si – e, tinha certeza, para todos os outros presentes – sentir que um longo período de desconfiança e desentendimento chegava agora ao fim. Houve um tempo – não que ele nem nenhum dos outros presentes partilhassem de tais sentimentos –, mas houve um tempo em que os respeitados proprietários da Fazenda dos Bichos tinham sido vistos, ele não diria com hostilidade, mas talvez com certa medida de apreensão pelos vizinhos humanos. Lamentáveis incidentes tinham acontecido, ideias equivocadas eram correntes. Sentia-se que a existência de uma fazenda de propriedade dos porcos e por eles operada era, de alguma maneira, anormal e sujeita a causar transtornos na vizinhança. Muitos fazendeiros supuseram, sem investigar, que numa fazenda dessas prevalecesse um espírito de licenciosidade e indisciplina. Tinham ficado nervosos quanto aos efeitos disso sobre os próprios animais, ou até mesmo sobre os empregados humanos. No entanto, essas dúvidas agora haviam se dissipado. Hoje, ele e seus amigos tinham visitado a Fazenda dos Bichos, inspecionando cada centímetro dela com os próprios olhos, e o que encontraram ali? Não só os métodos mais atuais, como também uma disciplina e uma organização que deviam servir de exemplo para todos os fazendeiros de onde quer que fossem. Ele acreditava poder afirmar que os animais mais inferiores da Fazenda dos Bichos trabalhavam mais e recebiam menos comida do que todos os animais do condado. De fato, ele e os companheiros visitantes haviam observado hoje muitas características que pretendiam introduzir nas próprias fazendas imediatamente.

Disse que encerraria seus comentários enfatizando mais uma vez os sentimentos amigáveis que subsistiam, e que subsistiriam por muito tempo mais, entre a Fazenda dos Bichos e seus vizinhos. Entre porcos e seres humanos não havia nem deveria haver conflitos de interesses. As lutas e dificuldades eram uma só. O trabalho não era o mesmo problema em todo lugar? Ali ficou claro que o sr. Pilkington estava prestes a dizer algo cuidadosamente preparado para os demais presentes, mas por um instante ele estava tão dominado pelo divertimento que seria incapaz de pronunciá-lo. Depois de muito ruminar, o que deixou seus queixos múltiplos roxos, ele conseguiu pôr para fora:

– Se vocês têm que lidar com seus animais inferiores – disse ele –, nós temos as nossas classes inferiores!

Esse *bon mot* deixou a mesa em polvorosa, e o sr. Pilkington parabenizou os porcos mais uma vez pela pouca ração, as longas jornadas de trabalho e a ausência geral de bajulações que ele tinha observado na Fazenda dos Bichos.

E agora, disse ele por fim, pediria aos presentes que se colocassem de pé e se certificassem de que os copos estivessem cheios.

– Cavalheiros – concluiu o sr. Pilkington. – Cavalheiros, eu lhes proponho um brinde: à prosperidade da Fazenda dos Bichos!

Houve um animado brinde com batidas de pé. Napoleão estava tão satisfeito que saiu de seu lugar e deu a volta na mesa para tilintar sua caneca com a do sr. Pilkington antes de esvaziá-la. Quando os ânimos baixaram, Napoleão, que permanecia de pé, anunciou que também tinha algumas palavras a dizer.

Como todos os discursos de Napoleão, esse foi curto e direto ao ponto. Ele dizia também estar feliz que o período de mal-entendidos estivesse encerrado. Por muito tempo houve boatos – espalhados por algum inimigo maligno, como ele tinha motivos para acreditar – de que havia algo de subversivo e até mesmo revolucionário na atitude dele e dos colegas. Tinham sido creditados por tentar incitar a rebelião entre os animais nas fazendas vizinhas. Nada podia ser mais distante da verdade! Seu único desejo, tanto agora como no passado, era viver em paz e fazer negócios normalmente com os vizinhos. A fazenda que ele tinha a honra de controlar, acrescentou, era uma empreitada cooperativa. As escrituras, que ficavam sob seus cuidados, estavam no nome de todos os porcos.

Ele acreditava, dizia, que não restava nenhuma das velhas suspeitas, mas certas mudanças haviam sido efetuadas recentemente na rotina da fazenda e promoveriam ainda mais confiança. Até ali, os animais da fazenda tinham mantido o costume meio besta de se dirigirem uns aos outros como "camarada". Isso estava para ser banido. Havia também outro costume bastante estranho, de origem desconhecida, de marchar todo domingo de manhã diante de um crânio de porco pregado num poste no jardim. Isso também seria banido, e o crânio já tinha até sido enterrado. Seus visitantes também deviam ter visto a bandeira verde que tremulava no mastro. Se viram, talvez ainda tivessem notado que o casco e o chifre que antes a adornavam, pintados em branco, agora tinham sido removidos. Dali em diante, seria uma bandeira verde lisa.

Disse ter apenas uma crítica a fazer ao excelente discurso de boa vizinhança do sr. Pilkington, que se referira todo o tempo à "Fazenda dos Bichos". É claro que ele não tinha como saber – pois ele, Napoleão, o estava anunciando agora pela primeira vez – que o nome "Fazenda dos Bichos" fora abolido. De agora em diante, a fazenda seria conhecida como "Fazenda do Solar" – que, acreditava ele, era seu nome correto e original.

– Cavalheiros – concluiu Napoleão –, proponho a vocês o mesmo brinde de antes, mas de forma diferente. Encham seus copos até a borda. Cavalheiros, eis o meu brinde: à prosperidade da Fazenda do Solar!

Repetiram-se as mesmas saudações cordiais de antes e as canecas foram esvaziadas até o fundo. Mas, enquanto observavam a cena, os animais lá fora ficaram com a impressão de que algo estranho acontecia. O que havia se alterado no rosto dos porcos? Os velhos olhos anuviados de Trevo pulavam de um rosto ao outro. Alguns deles tinham cinco queixos, outros quatro, outros ainda três. Mas o que parecia se desfazer e se transformar? Então, com o fim dos aplausos, os presentes pegaram de volta suas cartas e continuaram o jogo que tinha sido interrompido, enquanto os animais se esgueiraram em silêncio para longe dali.

Mas não estavam nem a vinte metros de distância quando pararam de repente. Um alvoroço de vozes vinha da sede da fazenda. Eles voltaram correndo e olharam pela janela de novo. Sim, era uma briga violenta. Havia gritos, tapas na mesa, olhares suspeitos afiados, recusas furiosas. A origem da confusão parecia vir do fato de que tanto Napoleão quanto o sr. Pilkington haviam descartado ao mesmo tempo um ás de espadas.

Doze vozes gritavam furiosas, e eram todas parecidas. Não restavam dúvidas agora do que tinha acontecido com o rosto dos porcos. As criaturas do lado de fora olhavam dos porcos para os homens, dos homens para os porcos, e dos porcos para os homens outra vez, mas não dava mais para dizer quem era porco e quem era homem.

A REVOLUÇÃO DOS BICHOS

TÍTULO ORIGINAL:
Animal Farm

CAPA:
Butcher Billy

COPIDESQUE:
Tássia Carvalho

MONTAGEM DE CAPA:
Pedro Fracchetta

REVISÃO:
Ana Luiza Candido
Entrelinhas Editorial

PROJETO GRÁFICO E DIAGRAMAÇÃO:
Desenho Editorial

DIREÇÃO EXECUTIVA:
Betty Fromer

DIREÇÃO EDITORIAL:
Adriano Fromer Piazzi

DIREÇÃO DE CONTEÚDO:
Luciana Fracchetta

EDITORIAL:
Daniel Lameira
Andréa Bergamaschi
Débora Dutra Vieira
Luiza Araujo

COMUNICAÇÃO:
Nathália Bergocce
Júlia Forbes

COMERCIAL:
Giovani das Graças
Lidiana Pessoa
Roberta Saraiva
Gustavo Mendonça
Pâmela Ferreira

FINANCEIRO:
Roberta Martins
Sandro Hannes

Todos os direitos desta edição reservados à Editora Aleph. Proibida a reprodução, no todo ou em parte, através de quaisquer meios.

DADOS INTERNACIONAIS DE CATALOGAÇÃO NA PUBLICAÇÃO (CIP) DE ACORDO COM ISBD

A079r
Orwell, George, 1903-1950
A revolução dos bichos / George Orwell ; traduzido por Daniel Lühmann ; ilustrado por Cibelle Arcanjo. — São Paulo : Aleph, 2021. 128 p. : il. ; 14cm x 21cm.

Tradução de: Animal farm
ISBN: 978-65-86064-40-7

1. Literatura inglesa. 2. Ficção. I. Lühmann, Daniel.
II. Arcanjo, Cibelle. III. Título.

2021-114   CDD 823.91
     CDU 821.111-3

EDITORA ALEPH
Rua Tabapuã, 81 - cj. 134
04533-010 – São Paulo – SP – Brasil
Tel.: [55 11] 3743-3202
www.editoraaleph.com.br

ELABORADO POR VAGNER RODOLFO DA SILVA - CRB-8/9410

ÍNDICES PARA CATÁLOGO SISTEMÁTICO:
1. Literatura inglesa : Ficção 823.91
2. Literatura inglesa : Ficção 821.111-3

TIPOLOGIA:
Minion [texto]

PAPEL:
Pólen Soft 80 g/m² [miolo]
Supremo 250 g/m² [capa]

IMPRESSÃO:
Rettec Artes Gráficas e Editora Ltda. [fevereiro de 2021]